葉莎現代詩研究賞析

——解讀靈山一朵花的美感

陳福成著

文學叢刊

文史哲出版社印行

國家圖書館出版品預行編目資料

葉莎現代詩研究賞析：解讀靈山一朵花的美感 / 陳福成著 . --初版 --臺北市：文史哲, 民 105.08
頁； 公分（文學叢刊；368）
ISBN 978-986-314-322-2（平裝）

1.葉莎 2.新詩 3.詩評

851.486 105015575

文 學 叢 刊 368

葉莎現代詩研究賞析

— 解讀靈山一朵花的美感

著　　者：陳　　福　　成
出 版 者：文　史　哲　出　版　社
http:// www.lapen.com.tw
e-mail:lapen@ms74.hinet.net
登記證字號：行政院新聞局版臺業字五三三七號
發 行 人：彭　　正　　雄
發 行 所：文　史　哲　出　版　社
印 刷 者：文　史　哲　出　版　社
臺北市羅斯福路一段七十二巷四號
郵政劃撥帳號：一六一八〇一七五
電話886-2-23511028 · 傳真886-2-23965656

定價新臺幣二二〇元

二〇一六年（民一〇五）八月初版

ISBN 978-986-314-322-2 09368

不思議，《人間》不思議（代自序）

以前也寫過女詩人的作品賞析，大約就是一短文略讀心得，從未針對一個女詩人的詩集，如此全面、專注、深入的研讀，一讀再讀，寫了這麼多，幾萬字，寫成了一本書。對我自己言，不思議！不可思議！

二〇一五年四月間，老友也是企業家詩人的范揚松，給我一本葉莎的現代詩集《人間》，葉莎親自在內頁提句，「有時候詩是雨／有時候詩是黃昏」。我深有所感，想進入她的詩國花園，看個究竟，因為我對這女子全然不了解，只有零星的方飛白說、范揚松說。

不論誰說，我說了才算數。於是，打開《人間》，卻不像人間，像靈山世界，每一首詩都有如佛陀手上拈花般的純淨。結果可想而知，我「一進去就不想出來」，越鑽越深，手上的筆也不聽指揮了，一篇一篇寫下去，真是「不小心搞大了」（一部韓國電影的片名）。

我深知，不論傳統詩、現代詩，都不是拿來解釋的。詩，是給人欣賞、感動的。尤其葉莎這本《人間》作品，絕大多數涵富著純淨、空靈、意境和含蓄等特質，這些特質是屬靈的，非感官的。故，不以感官去理解，需要直覺、直觀進行完形賞讀，較能直指詩人詩心情境。

這個情境，有如我們進入禪宗，雖說禪宗「不立文字、以心傳心」。但歷史上還是有不少禪師留下作品，以文字解說禪意，《六祖壇經》正是代表作品。所謂不立文字的本旨，是叫大家不要執著於文字，不能著「相」，才能以心傳心。讀葉莎的詩，不能被她的文字受限，文字以外的世界更寬廣，更不思議！

讀葉莎這本《人間》詩集，我也彷彿「看見」葉莎現在的生活。她在詩集之末的短文最後提到，院子裡的粉撲花開的好艷麗，告訴母親就要出版第二本詩集了。不知母親聽見還是沒聽見？只溫柔的對女兒說：「看這花不需費心照顧也開的這麼好！」女詩人即領悟，生活寫詩也許應如是，無須費心，自在來，自在精彩，自在去。

葉莎目前的生活態度，對我引起甚深共鳴，因為我現在的「極簡生活」。但我以前不是，以前我們流行計畫、安排，連長幹完當營長，營長幹完當指揮官，接著師長、軍長、軍團司令、總司令，最後率領大軍反攻大陸，解救同胞，統一中國……

誰知道到頭來一場空夢！又意外成了作家、詩人。清朝的笠庵大成禪師，一首詩曾讓我萬千感慨，「伯勞西去雁東來，李白桃紅歲歲開；萬事無過隨分好，人生何用苦安排？」是啊！真是千金難買早知道！

雅賞《人間》，細品葉莎，應如是，無須用心，自在來，自在精彩，自在去。（台北公館蟾蜍山萬盛草堂主人陳福成　誌於二〇一五年九月吉日）

葉莎現代詩研究賞析

——解讀靈山一朵花的美感

目　次

從葉莎的「純詩」談文學的乾淨與不乾淨

己見過幾次面的女詩人葉莎，常被我想成「李莎」，二人相距至少五十年，且性別不同。

我在揚松兄的大人物公司，見過兩次葉莎，因人多，聊八卦，也不知道她是誰！先是方飛白介紹說她是詩人。若在路上碰到她，我鐵定不敢「相認」。

有一回在揚松辦公室聊到葉莎，我問：「葉莎是混什麼的？」揚松一本正經的說：「喔！別小看她，她可是一家日本公司的廠長，她下面管一百多員工。」

我很意外，她怎麼可能是個廠長？一副不食人間煙火的樣子。而「廠長」這個角色，不是每天在工地、工廠和一群員工幹活，每天估算著進度或利潤，應該是滿口生意經，一身散發著「錢味」，或在辦公室拍桌罵人，明天再做不出成績，薪資減半……

事後我想葉莎的模樣，再看她《人間》詩集上的照片，無論如何和「廠長」不搭調。

或許，廠長只是一份維持生活的工作，但她對這些工作並不喜歡，她要「解放」自己，追求屬於自己的清淨世界。如季閒在〈細品葉莎〉一文說：「她不甘被職場和家庭束縛……」。

廠長葉莎，只是一個「角色扮演」，是一個表相吧！《人間》詩集的葉莎，才是真實的葉莎，是一個實相；追求藝術意境的葉莎，她才會感受到生命存在的價值，這才是真正的自己。

新加坡詩人南子，在葉莎《人間》詩集的序裡說：「綜觀葉莎大部分的詩作，是真正的純詩，雜質極少，她用七巧的玲瓏心，將語言滔洗，提煉出精純的意象，把所要表達的毫不含糊地呈現出來。」

「純詩」！「雜質極少」，是幾乎「沒有雜質」，很純很純的詩，是「純文學」了。換言之，這種詩，這種文學，是非常乾淨的，除了「作品」乾淨，「人」也必須乾淨，才能創造出純淨的意境和精純的意象。用中國文學語言來說，叫「文如其人」或「人如其文」。

我讀葉莎這本《人間》詩，每一首詩，有時我會親近詩的世界，乃至進出葉莎的思想國度，檢查每一首詩的「乾淨程度」，竟找不到一絲的「不乾淨」，讓我擴大思考一個文學命題。

「不乾淨的文學是不是文學？」不乾淨者，一是作品不乾淨，一是人不乾淨。這在中國的文學傳統大概問題不大，中國文學思想強調「文如其人」，「作品」和「作者」的文品是合一的，不能割裂；進而提昇到主客合一、天人合一，人和自然合一意境，這是中國文學詩歌的特色。歷史上有「不乾淨的人」，也有極佳詩文，但不會被流傳，也不被認同、肯定，有人讀過秦檜的作品嗎？時下也有「詩人」，寫些「下半身詩」不過自爽的遊戲，有幾個讀者會肯定、認同。

但西方文學傳統則大大不同，雖然有主張「文如其人」者，如羅馬文學評論家郎介納斯（Longinus），他的千古名言是，「偉大的文體是偉大靈魂之迴響」。還有主張文學必需合於道德的，如十六世紀的文藝復興理論家西德尼（Sidney），他的名言是，「如果文學不道德，那是人類糟塌了文學，而不是文學糟塌了人類」，這類似我國傳統的「文以載道」文學觀。

但西方文學傳統有很大的力量，主張「人文分離」，即作家歸作家，作品歸作品，二者是分離的。（作者）可以是腐敗惰落的大壞蛋，作品還是廣受肯定，成為傳世經典，並在文學史上有極高評價，舉兩實例。

法國浪漫主義作家司旦達爾（一七八三—一八四二年），他的傳世代表作《紅與黑》。此人一生以追女人為快樂來源，且專追朋友的妻子，追一個換一個。有人問他「為何要追朋友的妻子？」，司旦達爾毫無顧忌答說：「一者我可以按自己個性向前走、再者對社會地位大為有利、三可以藉此進一步研究人類的情感、四可以滿足我的榮譽和驕傲。」

司旦達爾的文學觀如同人生觀，他認為一個人應該有瘋狂的熱情，才能充滿生命的活力，為達成目的，不惜實行其仇恨、報復、冒險的陰謀手段。這種思想和徐志摩很相近，二人都是過度浪漫主義者，徐志摩也是以有婦之夫狂追有夫之婦，梁啟超曾評徐志摩「極不道德」。所謂「極不道德」，是人品上「很不乾淨」的問題，照理推論，人品不乾淨，作品也不會乾淨。但實際上呢？司旦達爾死後仍飲譽法國文壇，徐志摩也仍享譽我國詩壇，二人在文學史也有很高評價，到底要怎樣看待人品和詩品？

也是十九世紀的的法國大作家巴爾札克，他的傳世作品是《高老頭》，他專追求有錢或地位較高的女人；他戀愛的目的，就是從貴婦身上搞到錢，他創作的動機也是金錢，他以拿破崙的名言為自己的人生觀準則，「愛情乃事業的手段，金錢為其戀愛之目的。」

巴爾札克在人品上有很多問題，他完全以物質欲望為一切行事之動機。但毛姆給他做「蓋棺論定」仍說：「在以其著作使人類的精神寶庫，倍加豐美的文豪中，我以為巴爾札克是最偉大的一個。」

以上舉兩個在「人品」上不乾淨的大作家，其實他們的傳世「經典」也不是乾淨的。司旦達爾的《紅與黑》，不過寫些人性的罪惡面，嫉妒、憎恨、陰毒、報復、誘騙女人等情節；而巴爾札克的《高老頭》，不過寫些以巴黎為背景的資本主義社會的慾望，並未寫出真正人生的意義。李辰冬博士的評論，認為巴爾札克筆下的人物，盡是為自己生存而不擇手段，只是讓社會增加紛亂。

到底「人品」和「作品」有沒有關係？或應該處於何種關係？作家與文學作品是否必須是純淨的、乾淨的？文學一定是乾淨的嗎？……問題還是問題，誰能有個解答或合理的說法？

那些問題在找不到答案之前，我至少可以找到一個純淨的詩人，進出她的純淨詩國，在一座乾乾淨淨的詩園裡，觀賞並享受來自靈山的花朵，請進！葉莎《人間》。

葉莎小檔案

葉莎，原名劉文媛。認識她，才是二〇一五年的事，方飛白、范揚松的因緣，她年紀不大，小我很多，讀她的詩也是今年的事，一切，都很新鮮。

按她在《人間》詩集的基本資料，葉莎本名劉文媛，現住桃市龍潭區，擔任野薑花詩社採訪組長，乾坤詩刊責任編輯，吹鼓吹詩論壇中短詩版主，詩寫映像創作班講師。

二〇一三年，出版個人詩《伐夢》，得過桃園縣文藝創作獎、桐花文學獎、台灣詩學小詩獎。

二〇一三年獲邀新加坡書寫協會舉辦之國際詩人交流大會，二〇一五年獲邀出席緬甸仰光舉行之第八屆東南亞華文詩人大會。

未來她想做的事，每天安靜行走各地，記錄人間風景也讓這些風景入詩，而在詩教學也有新領域，〈詩太極〉和〈詩連動〉，可能是現在詩壇空前的創意新思維。

葉莎，《人間》詩集，劉文媛出版，二〇一五年三月二十日。

葉莎《人間》詩作的相對論述與本旨

我剛拿到《人間》詩集幾天後，把全部作品很用心的略讀一回，發現葉莎極善用二分法，經由兩組相對概念，進行正反互補辯證、提問，產生較有感動力的反思效果，幾乎在她的每一首詩，都能看到精巧的相對佈局。

幾乎所有的藝術創作者（詩人、作家、電影等），都會在二分法（正與反、左與右、遠與近、大與小……）上下工夫，只看誰表達的最高明，原因是二分法有「強大的功能」，一者呈現嚴謹的邏輯進程，極有說服力，讓人找不到「毛病」；再者闡釋正反相對的理則，讓人得到全面完整的認識；三者經由相對形式，構成鮮明的對比，進而完成主客之統一，不統一也無所謂，可以產生強大的落差，增加無限的想像空間，自古以來的大詩人都好用二分法，如李賀〈夢天〉詩：

遙望齊州九點煙，
一泓海水杯中瀉。

用九粒「煙」點，比喻中國九州（齊州，指中國）；以「杯」中水，比喻一泓海水，正是由宇宙外空俯看地面的景象，這種強烈的大小落差，給人很震憾的感受。葉莎《人間》詩作有很多二分法的運用，舉數例如：

不知空了
還是不空
只見那人紋風不動
衣角一群奔忙的風

〈空。不空〉第一段

我遺憾未能將你接住
……

我遺憾將你接住

〈水之遺憾〉一、二段首句

牽牛花一路聒噪
鴨群只是沉默

〈趕鴨人〉前兩行

說生活不過來來去去
這頭走到那頭而已

〈在煙霧裡寫詩〉末兩行

再相見時，身上有傷
整個夜晚我被光明衝撞

〈夜是一個囊袋〉末二行

〈空。不空〉一詩，用了最多相對概念，空與不空、問與不問、答與不答、動與靜，都在進行著正反的相對辯證，一種強大的提問和反思，直指人心。而〈水之遺憾〉的接住與未接住，形成兩個相對的世界，每一個世界都有寬廣的想像空間，尤其連接到屈原身上，再從屈原「直下」葉莎，她想「幹」什麼？她遺憾什麼？文字以外的「空靈世界」竟比形相文字，更豐富、更寬廣！

〈趕鴨人〉用了相對，也用倒置，〈在煙霧裡寫詩〉的二分法也很絕，生活不過來和去，人生不過是這頭和那頭，是不是意涵深厚？再看其他的二分相對：

一大片黑靜坐
我們對望，談灰飛

〈夜談〉前兩行

進門時，夕陽已為我鋪好軟床
晚風對坐的夜晚
月光和漁火一樣明亮

〈夜宿日光海岸〉中間

羊群聚攏
黃昏，卻靜靜散了

〈聚散〉第一段

夏日看橋
橋上影影綽綽
華燈結伴，星星初上
一些，近
一些，遠
秋日看橋
……

〈看橋〉

以上是四種情境上的相對，文字沒有明說，以含蓄完成情境相對。〈夜談〉是人和環境的相對，企圖達成主客合一的意境，〈夜宿日光海岸〉也是類似手法。〈看橋〉和〈聚散〉是客觀景物的相對，但客觀景物和詩人的感情若不連接，主客是不相關的，詩不會誕生。所以，〈看橋〉和〈聚散〉，詩人是在透過「有我之境」和「無我之境」的相對論辯，述說詩人主觀心靈的表現。

其他詩作也大多用了顯隱不同程度的相對論述，〈神祕地圖〉和〈妝佛〉，是從前世到今生的連接和相對；〈風爭〉是秩序掌控和自由解放的相對。而〈不言〉一詩，即期待又怕受傷害，有一種感情上的矛盾相對待，都給讀者增強感動的能量。〈雪中雕像〉透過黑白的相對佈局，創造極高的意境。

經由二分法創造二元對立（或統一）在文學詩歌的運用，可謂無往不利，可以彰顯震憾人心的效果，可因強大的落差對比給人更大的感動和啟示。

二分法在政治上的運用也是「無往不利」，是政客最愛的一把「屠刀」。例如，把原本和諧的社會，用「二分法屠刀」切割成兩塊，「台灣人」與「非台灣人」、「愛台」與「賣台」，更高明者可再切割成四塊、八塊、從中謀取政治利益，全世界的政客、野心家都會善用這把刀。這種刀有神鬼不測的魔力，倚天劍屠龍刀根本不是對手，碰到「二分法刀」只能拿去廚房切菜！

古今之大兵法家、大軍事家、孫子、吳起、孫臏、克勞塞維茨、李德哈達……無不善用二分法，分清敵我關係，壯大自己，削弱敵人；若無敵人，則製造或創造出一個對「我國」不友善的敵人，以利建軍備戰，把握戰機，一舉全殲敵人。就是現在的IS（伊斯蘭國），也對那些「非IS」非我族類，趕盡殺絕，全部滅種。啊！二分法是人類基因裡的「本能智慧」，幼兒園小朋友開始認識這個世界，不是從「好人」「壞人」起步嗎？

而真實世界裡，並沒有一個是「完全的好人」，也沒有「完全的壞人」，從某個角度看人人是佛，另一個角度看人人是禽獸。這個真實世界，除數學、物理等有真正的二分法，其餘沒有。

但葉莎《人間》詩集中的諸多二分法運用，按我解讀其深理妙義（以〈空。不空〉詩為例），她在質疑「空」，也質疑「不空」，警示世人不要落入二元對待，即佛法說的「唯有一乘法，無二亦無三」，這才是葉莎詩意之本旨。

關於〈空。不空〉說了什麼？

葉莎《人間》詩集的編輯設計，極為巧妙，詩和照片的配合，達到「相互提高」的效果。因我不懂攝影，對顏色的敏感度也不高，我主要還是文字、詩意、玄外之音的領悟。把〈空。不空〉和〈雪的聲音〉各置首尾，突顯了本書的「戰略高度」，一者為「強先峰」，讀者一翻開便「直衝人心」；一者負責收束壓軸，做個完美的結尾。葉莎、陳亮、南子、喜菡、季閒，五位高手出招，使《人間》有不凡之化境。

首先我要進入強力先峰〈空。不空〉的靈山世界，聽經聞法，並進入葉莎的詩國祕境，解讀空、不空和她，她要說什麼?她在想什麼?她在想什麼?賞讀其詩，〈空。不空〉：

不知空了

還是不空
只見那人紋風不動
衣角一群奔忙的風

前面的長廊充滿陰影
蜘蛛結網屋樑
窗子幽幽暗暗
他雙手閒握，不問

背後的白牆刻滿經文
陽光誦讀一遍
遊客朗誦一遍
他緊閉雙唇，不聞

到底空了

還是不空
小聲問了幾遍，不答

「不知空了／還是不空」，只是一個前言提問，彰顯「問題」（突顯主題、主角，即照片中那位出家人），快速切入主題，定位主角**「只見那人紋風不動／衣角一群奔忙的風」**，以二分法完成「主觀世界」和「客觀世界」的二元對立。主觀者這位修行人紋風不動，不為外境所動；客觀者是衣角一群奔忙的風，他們是外在環境的八風。修行人竟能「八風吹不動」，可見他的修行成果和功力，已非一般凡夫之眾。

人要修到「八風吹不動」，要修幾百年？「八風」者，是人世間一切的稱讚、譏諷、毀壞、利益、衰敗、痛苦、快樂。全然不為所動，不受吸引或影響，大約是「不以物喜、不以物悲」吧！這是天大的難，有一則蘇東坡的故事這麼說。

蘇東坡曾被貶職到瓜州做太守、瓜州在長江北邊，和鎮江金山寺僅是一水之隔。金山寺住持佛印禪師和東坡是好朋友，兩人常彼此吟詩作對、參禪學佛，有一回東坡作一詩，自覺修行功夫已經很深。

稽首天中天，毫光照大千；
八風吹不動，端坐紫金蓮。

他說自己頂禮天中之天、聖中之聖的釋迦牟尼佛、感到佛光普照著他，也照耀大千世界，他已八風吹不動，有如端坐紫金蓮台上。他很得意的叫書僮坐船，把作品拿給佛印欣賞。可是佛印看一下，在上面批了兩個字叫書僮送回。蘇東坡接過一看，只見寫了「放屁」二字，不覺怒從心中升起，心想：這老和尚不讚美就算了，還罵人放屁。氣沖沖的乘船過江，要問責於佛印。

佛印早已在岸邊等候著，一見東坡，哈哈大笑說：「學士！學士！你不是八風吹不動了嗎？怎麼一屁就打過江了呢？」可見得修行是不容易

的。

第一段衣角一群奔忙的風的**「衣角」**二字，也有大學問，表示這位修行人對外境八風的不聞、不問、不顧、不管，不為所動的境界，所以八風只能在身外的「衣角」處，引誘做怪。那八風完全上不了「人」，上不「身」，世界的成、住、壞、空，修行者都能以平常心看待了。

「衣角」二字的運用，在整首詩的結構技巧上，也有鮮明的強弱、大小、內外、核心與邊陲的相對意象。衣角對修行人而言，不僅是邊陲，也是「身外」，象徵八風只能對身外有影響。

第二段**「前面的長廊充滿陰影／蜘蛛結網屋樑／窗子幽幽暗暗」**，這是對外境象徵性的描述，我認為，這正是象徵這個世界所有的黑暗面，政局動亂、貪污腐敗、社會黑暗、戰爭衝突等，導至人民生活在水深火熱之中。面對這樣的「五濁惡世」，那位修行人竟「他雙手閒握，不問」。詩寫到這裡，詩人對修行者提出「強烈的質疑」，「這樣子對嗎？」乃至質疑，「這不是真正的佛法嗎？」修行可以不管眾生苦難嗎？

第三段回頭反思、反省、批判，**「背後的白牆刻滿經文／陽光誦讀一遍／遊客朗讀一遍」**，經文所寫不外是普度眾生、救苦救難、我不入地獄誰入地獄或觀自在菩薩，行深般若波羅蜜多時……這些經文，陽光誦讀、遊客朗讀、大家讀，但皆「小和尚念經有口無心」。換言之，經文到處有，如同沒有，因為和眾生苦難不能連接，面對如此與眾生無關的修行或佛法困境，這位修行者竟也**「他緊閉雙唇，不聞」**。詩人的質疑更加強烈，或詩人心懷眾生，代替眾生的質問：詩人的質問：難到佛法不是聞聲救苦嗎？

最後一段三行，詩人以質問結尾，**「到底空了／還是不空／小聲問了幾遍，不答」**，經連續對問題的質疑，還是沒有得到答案。但己突顯了問題，促使人們去反省改進，所謂佛法，所謂修行學佛，若不顧眾生度與不度，不管蒼生死活苦難，不理政局腐敗惰落，無視社會解體崩壞，而幽居在「小小乘」理想國中，此即非「空」，亦非「不空」，因為這不是佛法。

葉莎經營這首詩，我認為有很深廣的微妙法義，至少有以下意涵。第一、不執著於空，也不執著於不空，因為空有是一體兩面的，我師父星雲大師說「四大皆空就是四大皆有」，茶杯不空，如何倒進茶水？《中論》曰：「以有空義故，一切法得成；若無空義故，一切法不成。」世界是因「空」而有的。

第二、不要落入空與不空、左與右、好與壞……等等的二元對待。《妙法蓮華經》說：「十方佛土中，唯有一乘法；無二亦無三，除佛方便說。」佛陀為宏法之便，慇念眾生，依眾生不同根器而宣說不同教法，對小乘根器講小乘法，對大乘根器講一乘法。但佛陀最終希望大家都歸向大乘佛道，做自利利他的大乘菩薩。

第三、大乘佛法，要聞聲救苦、要普度眾生、要創造人間樂土、要服務人群。星雲大師說過多次，「佛法如果不能走入社會，服務人群，就沒有存在價值。」所以也說「欲為佛門龍象，先做眾生牛馬」，面對眾生苦難，佛法修行者怎能「不問、不聞、不答」？

這三點在〈空。不空〉詩裡，並未說出，這是詩人的高明和含蓄，在詩的「空靈」處，有如是弦外意，我如是解讀詮釋之。

整體賞讀〈空。不空〉，有深廣的含蓄妙意，詩之妙處就在可說與不可說之間，在可解與不可解之邊緣，每個角度去看都有不同風景，例如這首詩若從禪宗切入，就有另一種不同論述，《人間》詩集多數作品，都有這種含蓄、多意的美感。所以，含蓄可以說是創造詩意美感的重要手段，司空圖的《二十四詩品》如是說含蓄：

不著一字，盡得風流，語不涉己，若不堪憂。
是有真宰，與之沉浮，如淥滿酒，花時返秋。
悠悠空塵，忽忽海漚，淺深具散，萬取一收。

為使本文不太冗長，司空圖說了什麼？如何解其所說？又如何連接到〈空。不空〉一詩？我且不說、不答，由讀者自行發揮想像力吧！

喜菡在〈當詩如此柔軟〉一文，指出〈空。不空〉的驚艷，是從攝影的角度切入去解讀，別有風景，可惜我不懂攝影，對所謂光影顏色也不敏感，只有初級的欣賞水平。此外，這首詩給我很多「強烈的吸引」，誘動我的心思，要走入詩人的世界，窺探作者不聞之密語、不答之答案、不問之神咒，我感覺，尚有很多未出土的珍寶！

到底空了，還是不空？說空，即非空，是名空；說不空，即非不空，是名不空。佛無所說法，吾不能誹謗佛，都是人自己想的！

賞讀三首「物來動情」小詩

葉莎的詩最大的特色是純淨與含蓄，多數的詩在可解不可解，可說不可說之間，意會則可，言傳則難。這種詩藝美學特徵，正是中國古典詩學中，最豐富也最難把握的範疇，此即「興」也。

孔子說「詩可以興」，怎樣興？興是一種直觀、完整的感悟，隨感、即興而作的抒情詩學。因而促進中國抒情短詩的發達，這應也是葉莎善於經營短詩的原因，她的短詩很「興」。

興的基本形式有「情往感物」和「物來動情」兩種，葉莎的詩似以後者較明顯而濃厚，「物來動情」是觸景興情，外境（物）激起感情表現於詩歌。如李白〈靜夜思〉、白居易〈惜牡丹花〉、王昌齡〈閨怨〉。有點年紀的人會喜歡〈王昭君〉這首歌，引部分歌詞：

陽關再唱，觸景神傷，琵琶二疊，凝眸望野草，閑花驛路長。問天涯茫茫，平沙落雁，大道霜寒，胡地風光，剩水殘山，殘山剩水，無心賞……

李白當年看到的月亮，和你我現在所見並無差別。王昭君當年看到的山水，和我們現在所見是一樣的山水，為什麼現在旅行團去看好美！而昭君只見「殘山剩水」？皆因外境「興」起感情波瀾，情隨景生，牽動情懷，心緒蕩漾，詩思自然滿懷。每個人心情不同，興情結果也大不同。賞讀〈夜是一個囊袋〉。

你說窮，買不起燈
我遂將黑夜束成囊袋
裝滿流螢，贈你
將自己也裝進去吧
聽你朗讀，靜待黎明

並想像被野放

再相見時，身上有傷
整個夜晚我被光明衝撞

孤寂和寂靜是詩的主調，加上長了翅膀的想像力，才能讓夜成為一個囊袋，詩人與夜的對話。我們每一天的生活，都會碰到夜，許多人在睡大覺，年輕人的夜不是夜，少數人在狂歡，還有誰對夜是有感情的？

這是怎樣的故事或旅程？詩人到一個寧靜的鄉村，留下這張夜之美景，詩人和夜有了感情，夜說窮，買不起燈，一種有趣的幽默。

我遂將黑夜束成囊袋
裝滿流螢，贈你

此時此刻，這個小宇宙一定靜的出奇，清淨、寂靜，詩人向誰傾訴心事？有夜來「興」，正好與夜談心，或想像夜是一個情人，或想像自己被野放，詩人太想要解放自由了。為何身上有傷？一定還有故事，晚上睡不著，整晚被光明衝撞，詩人就與「夜先生」對看一晚。好了！我不要編太多劇情，賞讀〈夜談〉。

一大片黑靜坐
我們對望，談灰飛
和不想被時光湮滅的種種
偶爾喝了一口茶
翻兩下，心中正在孵化的詩
半熟，你說

你說，半熟
正孵化的詩，在心中翻了兩下
被時光湮滅的種種

此刻灰飛
我們對望，與一大片黑
靜坐

其實詩人不過因夜的「興」情，正在醞釀一首詩，整個過程如同煎蛋，以兩段正反翻了兩下，詩孵化完成。這個「夜」比前面囊袋的「夜」，更形像化、擬人化，像一個閨房密友。

整首詩的情境是寂靜的，一大片黑夜靜坐著，她們聊著「灰飛」和「湮滅」，想到人生走到這裡，不甘往事如灰飛湮滅成空，總要再捕捕抓一些回憶吧！

〈夜談〉兩段結構嚴謹而自然，正反論述，主客達到統一之化境。比喻也新鮮

被時光湮滅的種種
此刻灰飛

自然，就像煎蛋，這面煎煎，翻過來再煎煎，就熟了；又好像和一個朋友在靜夜談心，作詩飲茶，都呈現一種寧靜境界，還有大片空靈意境，任由讀者欣賞詮釋。再賞讀〈風箏〉。

懊惱還你，自由還我
我渴望鬆脫，斷線或者放手
無止境摸索，飄浮
與盤古對坐
直到相信三千六百萬年孤寂中
其中一粒微塵
是我

七行短詩，詩人化身成風箏，借物說話，道出心中的期望。從詩境看心境，可見詩人被「綁」太久了，被什麼綁住了？詩人下定決心要掙脫束

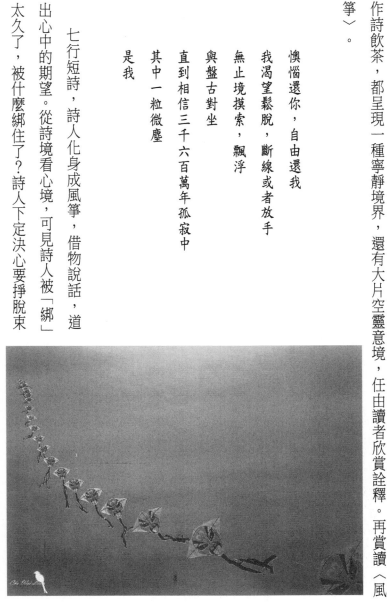

縛，許多情節藏在她的心裡，用心的讀者不難找到「證據」。

現在詩人就要掙脫掌控，若掌控者能「放手」更好，若不放手，以更強有力的掙脫，必可使風箏斷線，那便得以自由解放。

如今解脫成功，詩人到處旅遊，當一個吟遊詩人，無止境的飄浮在生命的藍空大海。不僅掙脫束縛，且打破了時空限制，進入「天地與我並生，萬物與我齊一」、「獨與天地精神相往來」的逍遙浮游境界。因此，詩人隨時可以與盤古對坐，拜訪屈原或李杜三蘇，萬物與我合一，當然那一粒微塵也是我，不是嗎？

「情往感物」鳥語魚想

中國詩歌藝術最高境界叫「物化」，清人賀裳在《皺水軒詞筌》講到這種境界，有一位韓幹畫馬而作馬形，他忘我、忘身，忘掉自己的存在，把自己當成所畫的馬，而達「物化」意境，主體和客體之物同一。

情與物是詩的兩大基本元素，而「物來動情」和「情往感物」是詩興兩種基本形式。情往感物，使物亦有情，乃至達到物化意境，是自古以來詩人所追求。如白居易的「吳山點點愁」，辛棄疾的「我看青山多嫵媚，青山見我應如是」。情往感物是「帶著有色眼光看萬物」，於是「登山則情滿於山，觀海則意溢於海」；心情心境的變化，外境景物也隨之變化。如歐陽修《啼鳥》。

鳥言我豈解爾意，綿蠻但愛聲可聽。南窗睡多春正美，百舌未曉催天明。黃鸝顏色已可愛，舌端啞咤如嬰嬌。……我遭讒口身落此，每聞巧舌宜可憎。

當人的心情愉悅，身心自在，鳥聲動聽可愛；而一旦面對人生某些慘敗，如身遭讒陷，官司纏身，那裡還快樂得起來，想必山水美景瞬間成了「殘山剩水」，而鳥聲也覺得可厭可憎。為什麼?因為「情往感物」。

在葉莎《人間》詩集中，特選三首有鮮明「情往感物」詩作賞讀。〈孤鳥〉、〈大剪尾〉、〈魚想〉，詩人「觸物興起」，走入魚鳥的世界，物我兩忘，讓神思自在自由飄浮，賞讀〈孤鳥〉。

我將夜色比喻為河的時候
落葉紛紛游走
長的像雲的水草
推著明亮的石頭過河

當堤岸的枯枝

做出驚呼的嘴形
大剪尾，悄悄剪去秋的尾音

自稱孤鳥的你
始終在枝頭屏息
拍一拍翅
就打翻越來越深的靜

喜菡說「靜」是葉莎追求的生命主調，每一首詩都可以感受到靜的情境和淨的意涵，〈空。不空〉和本文幾首都是。何種原因？詩人要追求一種完全純淨、寧靜的世界，這樣的世界才是她的理想國！必是往昔被吵、被糾纏怕了，她要走自己的路。

自己的路，是孤獨、寂寞的路，是一

自稱孤鳥的你
始終在枝頭屏息

隻孤鳥，在一個夜晚棲息到嘴形枯枝。詩人，啊！是鳥，想要述說心中的寂寞吧！

這世上誰不寂寞？人人都是世上的唯一，都是「獨立的宇宙」，人人都是千山獨行，最後也是一個人上路。唯一會有「陪伴」者，是上路時，身後傳來幾聲朋友的祝福：「一路好走！」

這隻孤鳥，不也！是詩人，難得擁有一個靜的夜晚，這樣的情境我也曾經擁有，我只要一個人的世界，那年，是我失戀了。這不是葉莎的故事！

深怕這個美好的靜夜消失，詩人屏息枝頭，與夜空合一，不動、不語，讓這片刻的靜夜成永恒。再賞另一隻〈大剪尾〉。

趁著三月
木棉一朵挨著一朵爆炸
我開始飛擊
並大口啄食春天的聲音
那些混雜焦灼與盼望的情緒

如果一切焦灼
等待撕裂一場夢與詩
我就收攏心中滂沱的兩
並在你亦步亦趨靠近時
寧靜釋放所有的黑

我發現，葉莎極善用「移覺」（通感）。所謂「移覺」，是運用人的各種感覺（視、聽、嗅、味、觸覺），以其相通原理，將某一感覺轉移到另一種感覺，聽覺用觸覺表現等等。知名的詩句，如宋祁「紅杏枝頭春意鬧」、洛夫「伸手抓起／竟是一把鳥聲」。

葉莎的移覺功夫也了得，如〈夜談〉「一大片黑靜坐」（視覺轉觸覺），〈孤鳥〉「就打翻越來越深的靜」（觸覺轉聽覺）。這首〈大剪尾〉，整首多處都是移覺，木棉一朵挨著一朵爆炸，啄食春天的聲音，撕裂一場夢，寧靜釋放所有的黑等，移覺極為高明並創造了一種奇妙的理趣。

回到〈大剪尾〉的意涵，我不懂鳥類，當然更不懂鳥語，我只讀詩心詩意，鳥已化成一位詩人，詩中藏著心事，隱涵不說之秘密；否則，**「那些混雜焦灼與盼望的情緒」**是什麼？原來，一切焦灼，源自**「等待撕裂一場夢與詩」**的不安，夢被撕裂了，詩卻誕生了。

這是不是古人說的「窮而後工」，歷史上偉大的詩人，屈原、李白、杜甫、李後主……他們的生命如果沒有陷於極大困境，美夢被撕裂，他們的作品可以昇華到最高境界嗎？這首詩藏著一種「密碼」，解碼後釋放所有的黑，這「黑」是什麼？我把自由心證的機會讓給有緣的讀者，誰來說說看，品賞〈魚想〉。

找一個水塘
躲進風的皺紋裡游泳
誰最明白初冬的不安
柳條配合風的呼吸浮動

歷史被關進館中陳列
南海路上今天不吹南風
我的故事不停受潮
長滿柳絮的輕慢

聽說荷已萎靡
容顏是稻草的晚年
天空有人彈琴
琴弦跌進小小水塘
我游進音階之中
並且試圖發音

詩是拿來欣賞的，不是可以解釋的，現在欣賞《人間》詩作，卻「解釋」了幾萬字。我無法向詩人解釋！也無法向讀者解釋！只好拿《金剛經》當擋箭牌，說解釋，即非解釋，是名解釋。

詩人化成一條魚，想找個地方躲猫猫，**「找一個水塘／躲進風的皺紋裡游泳」**。從世間法、從邏輯經驗看，都是不可能的，不論誰的「皺紋」，都是極細的縫，怎能躲進一條魚？一條魚美人？

佛經中有一則故事，一位神將率十萬兵馬與敵大戰，結果慘敗，神將率數萬殘軍敗卒潰逃中，正好經過一蓮花池，神將與數萬兵馬一起藏入一節蓮藕內的細洞裡，躲過一場災難，也保存一部分的戰力。佛法破除了大小、左右、好壞等的「分別心」，一粒微塵和宇宙無二，可以平起平坐。

所以，〈魚想〉首先已破除了分別心，魚才能在任何空間自在悠游，也意涵著詩人渴望要破除身上的束縛，得以自在解放。第二段再強調前面的想法，希望自己的故事不要受潮腐壞，能夠永留傳。第三段魚想到自己的晚年，還試圖向人述說自己的故事，這隻美人魚的故事一定很傳奇；或純淨、唯美的，如靈山一朵花！

〈不言〉的心事以及愛情

愛的渴望，應該是人類這個物種最普遍性的共有，不論是誰？對於愛，已經擁有的，渴望得到更多，或保持不能失去。若已失去的，必然想要從其他方面，再獲得，愛是一切生物的生命元素。因為愛的滋味，太美好了！身為人，怎能沒有愛？不管男人女人，愛的渴望，與其生命共終始。

假設，愛只有三種型態，親情、友情和愛情，本文所述當然就是愛情，古今中外的詩人，也以寫愛情的詩居多。例如，我們最常見的「情詩」，早已被界定在男女愛情範圍內，惟吾人從未聞有「親詩」專寫親情，未聞「友詩」專寫友情。可見人對愛情的渴望，是長久而隱藏式的「需要」。但除少數特殊個案，很少聽到人對親情和友情有渴望，道理很簡單，愛情短暫易逝，故覺珍貴渴望，而親情「跑不掉」人便不珍惜。友情呢？只要走出自己的宅，與大家喝酒歌唱，不愁沒有朋友，范揚松的「大人物朋友群」是現成的友情示範班。

《人間》詩集儘管純淨，詩人不斷將語言淘洗，企圖把人間煙火洗淨，把色聲香味觸法裡的人間「雜質」洗掉，但凡走過必留下痕跡。何況詩人仍有渴望，試賞讀〈不言〉一詩。

在腐朽之前
讓我們望著同一座大海
時光順流而下，悠悠盪盪
沉默的小船靜靜聞著芬芳

該如何隱藏我的體香
我曾放置誘餌在春天的牆
等待你，像魚兒等待貓的貪婪

你若貼近雨，就能聞到時光
如大海聽見小船的呢喃

而我，多害怕風來
將往日一掃而光

一首女人對愛情，即期待又怕受傷害的典雅短詩。開始多麼期待兩人有共同的視野、愛好，一同去旅行，望著同一座大海。時光順而流下，每天幸福美滿，自己如同安靜的小船，聞到的日子都是芬芳的。

第二段是強烈的渴望和誘惑，女人很懂得利用天生的本錢，全身無處不是「誘餌」，人類以外生物亦如是。有句話說，「男追女隔座山，女追男隔層紙」，任何時候女人放出一個小小誘餌，必有收穫；反之，男人放出

你若貼近雨，就能聞到時光
如大海聽見小船的呢喃

多少次誘餌，不是有去無回，便是白做工，這是所有生物的常態。第二段也是大膽的表白，**「等待你，像魚兒等待貓的貪婪」**，等待你，願意像魚兒等待貓，讓你「吃」，我做好願意獻身的準備。

第三段前兩行是一種期待，期待男人像大海，能包容、能承擔，而自己只是大海的一隻小船。最後兩行是全詩的靈魂，〈不言〉之所以不言，全為了這兩行，**「而我多害怕風來／將往日一掃而光」**，有了新的愛情，勢必得向前看，往日許多美好的回憶都必須「冰凍」起來，乃至於「割斷」。甚至！有可能再次失敗，因為往昔有過痛楚，賞讀〈雪的聲音〉。

不過一場雪
竟飄出茫茫的愛情
如今仔細聆聽
都是消融的聲音

壓軸短詩隱涵著一則感傷的故事，關於愛情，我注意到第一、二句的因果關係。**「不**

過是一場雪」是因，這是真實的雪，可能二人初識於冬天，或他們在雪景中定情，從普通朋友成為情人，才有**「竟飄出茫茫的愛情」**之果。但這句中藏著「問題」，也是所有戀愛中人的問題，就是「非理性」。這句中「竟」字表示這場戀情，是沒有心裡準備的意外，而「茫茫的」更表示完全看不清楚對方，這樣的愛情不可靠，也有些危險。

果然，一場傷痛終於成為過去，如今聽來都是消融的聲音。這裡是個移覺，很少人刻意去聽融雪的聲音，而是融雪時很冷，

不過一場雪
竟飄出茫茫的愛情
如今仔細聆聽
都是消融的聲音

那些忘不掉的回憶，如今想起來，還是寒寒的、冷冷的。

我始終認為，兩性之間存在一些「生物性鐵律」，除了極少數個案（各教派神職或修行者）。男人的一生必擁有過一位心愛的女人，若無，不論他成就多大的豐功偉業，必然是一生「唯一的遺憾」；反之，在女人方面，我聽人說過這樣的話，「男人不能沒有女人，女人可以不要男人，沒有男人，女人一樣活的好好的。」我認為，這話似是而非，也是「程度」問題，二分法完全無法解釋。

我甚至聽過一個「單身很久」的女人（老公早走）說，「二十年來都是一個人過活，好的很，才不要男人，胡茵夢也是一個人過活，她也不要男人。」說話者其實已承認，她和胡茵夢早已「擁有過」男人，不論一年或十年，她曾經擁有，她的生命已不遺憾，現在當然就不「再」要了，畢竟「再要」的風險很高。就像葉莎的詩，**「而我，多害怕風來／將往日一掃而光」**。另一首〈關於夢〉，似有似無的，隱約也露出詩人的小秘密，有關情感的。

聽說你在山中修行
我按圖索驥摸索到水聲

濕漉漉，是當年的雨
星羅棋布的昨日
如今躺成河的樣子

你或許忘記傘的沉默
我卻記得一隻鷹倉皇飛過
瞬間，就被森林吞沒

我在塵世中茫然行走
你獨自尋找自己的佛
關於夢，總是
沒有開始沒有結果

人生是一場永不止息的追尋，追尋自己的夢想。詩人在〈關於夢〉裡也在追尋，不確定是不是追尋愛情？確定是追尋她的所愛，他在山中修行，她按圖索驥追到山裡，厲

星羅棋布的昨日
如今躺成河的樣子

害吧！

「濕漉漉，是當年的雨」，詩人追尋的原來是一位「舊雨」，年輕時代「緣淺」的好友嗎？他們的回憶是**「星羅棋布的昨日」**，**「如今躺成河的樣子」**，「定型」了，很難再改變。他或許忘記，她卻忘不了，茫然走過幾十年，他只顧自己要修行成佛，她不要他成佛，她的夢始終沒開始，當然就沒有結果。於是，詩人要學習看開，認識〈聚散〉是人生的常態。

羊群聚攏
黃昏，卻靜靜散了

一株水草靠過來
聽我，搖動的聲音

心中一條澎湃的江河

人生聚散，不外因緣，羊群聚攏，黃昏散去；一株水草靠過來，看似不解，其實一切都在因緣法中，永恆而自然的推演下去。面對因緣，聚散無常，心中依然澎湃，畢竟，人還是有所求的。

詩人在這些詩中，隱藏著什麼訊息，我試圖解碼，串起一則動人的故事。美麗的故事，詩人已在每一段旅途，寫好了！

一個人帶著詩旅行

葉莎在詩集跋文提到，喜歡讀一個人旅行的書籍，也夢想著要一個人去旅行，詩寫每個景點。這個夢想已有急迫感，急著要拋開那些老舊的繩索，展開全新的旅程，每天安靜的行走，以詩記錄人間美景。

真是羨慕葉莎，她可以不當「囚徒」了（註：《囚徒》是筆者五千行長詩，文史哲出版），佩服她的勇敢和智慧。如她在文章之末說的，「生活寫詩也許應如是，無須費心，自在來，自在精彩，自在去。」

《人間》詩集大多數作品，應是詩人一人旅行的詩寫記錄，不論寫景、寫人，除了捕捉感人景物，也寄以個人詩觀，有些也意涵著詩人細密的心事。本文三首皆是，賞讀〈夜宿日光海岸〉。

這是日光最鍾情的旅館
海濤，最愛敲打詩的沿岸
幾隻錦鯉靜靜游過長廊

我住在轉角第一間房
進門時，夕陽已為我鋪好軟床
晚風對坐的夜晚
月光和漁火一樣明亮

今夜的夢搖搖晃晃
窗外的椅子，曾在黃昏
數過不安的潮浪

這首詩不僅移覺，還移角〈角色轉移〉的很神妙、很自在、很悠閒。
詩人最愛的旅館轉移給日光，海的沿岸變成詩的沿岸，旅館長廊上的過客成了一隻

晚風對坐的夜晚
月光和漁火一樣明亮

錦鯉，靜靜的游來游去。這是一幅自然和諧、人與景物相融共遊的合一圖畫。

詩人一進房，夕陽已為她鋪好軟床，真好！好體貼的夕陽。這「夕陽」是誰？是不是一個她所期待的人的形像轉移？晚上與晚風對坐談心，而事實上，詩人不想與晚風談心，當然最好是和心愛的人談心，沒有愛人可以談心才去和晚風談心。就像任何人，有牛排XO美酒享用，為何要去喝西北風？

今夜的夢搖搖晃晃，窗外的椅子也不安，表示詩人晚上有斷斷續續的夢，日有所思，夜有所夢。詩人心中惦念著誰？旅程仍在向前行，賞讀〈旅著〉。

光陰已經長成暮野
我奔跑進入，成為四合
當年哭泣的眼睛，只有母親見過
擋路的荊棘，什麼也沒有說

總有一些美好的時刻
看見一株樹在湖中吟詩

爬上岸，結了一棵落日的果

暮野、暮景、暮色，都是形容黃昏的蒼茫景像，也在暗示年紀不小了，要積極完成夢想。

於是，詩人奔跑，進入自己的「天命」，成為四合。這「四合」或有許多解讀，大概是讓自己成為山河大地東西南北的一員，勇於實踐夢想，再也不掉一滴淚。荊天棘地，全部被擺平，無置喙之餘地，可見詩人追尋夢想的決心，不容存疑。

旅途雖然辛苦，但值得，把這幅如詩如畫的倒映美景捕捉到了，這是真善美，再分享許多人，成為無尚「法布施、法供養」，人生的意義和價值，正在其中。再

品賞〈沱江晨景〉。

在沱江，霧是旅人的眼神
黎明三尺，今朝迷離
再過去　盡是往事故居
遠如山的沉靜

沉靜的還有我
山崖上，一株有耳的樹
愛聆聽風聲和旅人腳步
當舟子吟出一段念去去
一抹陽光開始縫補風景
昨日雨，今日黛綠

山崖上，一株有耳的樹
愛聆聽風聲和旅人腳步

從未見過詩寫旅行見聞感受，如此的純和淨，說是「人間」，是把人間雜俗汰除，留下最純悴、幾乎屬靈的精神境界，每一首詩都是一幅靈山風景。

專心讀葉莎的旅行詩作，進入她的世界，好像和她同步旅行，我也成了旅者，也在現場享受著沱江晨景。

把人間煙火也洗一洗

我讀葉莎《人間》詩作，最深刻的感覺，是她的每一首詩都乾淨得不像人間之物，不食人間煙火，像是一朵來自靈山的花。南子說是純詩，用七巧玲瓏心，將語言洗淨；喜菡說「靜」是葉莎追求的生命主調，葉莎藉詩修行；季閒也認為葉莎是「主觀之詩人」，閱世愈淺，則性情愈真，似乎也說葉莎是「非人間」的，不食人間煙人的。

但實際上，詩集第一輯〈主角〉的二十首詩，除〈空、不空〉，其餘十九首都是所謂的「人間煙火」（社會底層辛苦小老百姓生活真相，人世間的遺憾、悲慘等）。而第二輯〈佈景〉三十七首，可謂全無人間煙火，毫無人間「煙味」，這大概是刻意的編排，人間主角全放在第一輯。

仔細檢視第一輯十九首人間煙火詩寫，詩人在創作過程中，還是用心淘洗，將語言文字中的人間「煙味」，極儘可能的洗掉、洗淨，讓詩和圖照的意涵、意境，仍散發真善美的光輝，傳遞的仍是正面價值。例舉三首賞讀，〈老林的麵線糊〉。

將一甲子對折再對折
攤開，就看見你在夾頁隙縫處忙碌
艱辛已成省略號，沿著
虛線，就能抵達你多風霜的額頭

幾尺幾吋長的方桌
食客推動潮水，一波又一波
據說採用色情文學的材料
溫火，癱瘓一種紅色非法纏繞
再加入純情的芹菜、胡蘿蔔
貢丸剖心和蝦米相見之後
心事不由分說

艱辛已成省略號，沿著
虛線，就能抵達你多風霜的額頭

走出天后宮，叫了碗麵線糊
將你的純樸和菩薩的笑容勾芡
調勻，再滴入少許烏醋
淡淡的酸，濃濃的滋味
原來就是人間

季閒認為葉莎是「屬於主觀意識深厚的有我之境」詩人，在她多數作品中，確實是「以我觀物，物皆著我之色彩」。但我發現〈或感覺〉，詩人在面對人世間社會最底層，那些苦哈哈過日子的眾生，並非以「著我之色彩」呈現，而是保留客觀景物人事的「原始狀態」，讓讀者自行領受「原汁原味」的情境。我們仔細審視那張「老林麵線糊」，是看到老林還是葉莎？

轉換成文字的詩寫，詩人等於「放棄自我」或無我，從靈山走入人間，走進老林麵線糊，和辛苦的小人物同在。因此詩人才能**「看見你在夾頁隙縫處忙碌」**，看見老林多霜的額頭；對於老林和客人的親切互動，讓一些芹菜蘿蔔有了純情，貢丸亦「剖心」，**「將你的純樸和菩薩的笑容勾芡」**。基本上，詩人捕捉到一幅社會角落裡，小人物的艱辛，卻也溫暖、真誠，加以「無限上綱」，這就是人間。再一首〈採蚵人〉。

那人一走動，就攪亂了海洋
海裡的雲，紛紛浮起急速游過
他又提起海，大踏步的走
掉下了無數隻蚵，不肯吐實的傳說

一隻牛駝著黃昏，靜靜的走
採蚵人抹一臉海風，天就黑了
他們說，吃苦猶如吃補
話說完，坦然一笑如天色

這首詩也看不出「著我之色彩」，而是呈現了採蚵人的真性情，惟在創作技巧上，用了超越世間法的層次，才會**「那人一走動，就攪亂了海洋」**，因為那人的勤勞和真實。佛經上有一則典故，海龍王因為感動，在海裡掀起巨大的浪，佛陀的幾個弟子以神通力，仍不能平息巨浪，向佛陀報告，佛陀取一粒米，叫弟子拿去丟入海中，可平息巨浪，弟子有疑，佛陀叫他們去試一試，果然有用。佛陀開示說：一粒米是農夫勤勞耕種才有的，含有巨大的功德，故涵富極大的價值和力量。

因此，採蚵人攝影和詩作，從相上看只是小人物的勤苦工作，但涵富一種人世間巨大的精神，傳遞、散播無尚的正面價值。**「他們說，吃苦猶如吃補／話說完，坦然一笑如天色」**，這是多大功德的法布施，是採蚵人無言的「講經說法」，可以改變世界的說法。《金剛經》上說，有人三千大世界的財寶都拿來布施，另一人只說經上四句偈，**「一切有為法，如夢幻泡影，如露亦如電，應作如是觀。」**說偈的功德大於三千世界的財寶布施。

這是我從〈採蚵人〉看到的價值，不知道其他讀者所見，看到什麼？橫看成嶺側成峰，或許看到不同的世界，另一首〈賣菜包的老婦人〉，詩技詩味十足，惟價值層次稍弱。

拐進小巷，聲浪不停推擠
緩緩游動的我
變成一隻好奇的丁香魚
一不小心就撞到一面牆

她們倚牆而坐
面無表情提著晨光
生活浮了上來
一大片爆香而鹹味的海洋
看似白白胖胖的日子
搓揉之後就更結實了
放進陳年的菜脯和豆干

蒸煮之後散發一種遠古的香

我靦腆的鱗片，總是容易脫落
於是游到她們面前說
阿婆，笑一個吧
讓我拍下懷舊的時光

詩技詩藝和詩意都豐富的一首詩，套用《孫子兵法》語言說，詩人善用「間接路線」，故能致勝。詩人如行雲流水，自在行走人間，現在化成一條丁香魚，遇見兩個老婦人說成撞到一面牆。捏著包子轉成捏著晨光，白白胖胖的菜包轉換成白白胖胖的日子。

「我靦腆的鱗片」是指什麼？為什

看似白白胖胖的日子
搓揉之後就更結實了

麼「總是容易脫落」?有各種想像空間，應該是詩人看到眼前一幕場景，愉悅的表情立即散發出來，居於一種同理心。

從詩藝詩技看，間接路線也是一種移覺、轉換，使詩意豐富、意境提升，美化詩語言，增加想像空間。用南子的說法，是詩人將語言淘洗，提煉出精純的意象。此舉，洗掉了人間的煙味、火味和一些雜蕪。

但我說這首詩的涵意和照片呈現的情境，價值層次稍弱。**「面無表現捏著晨光」**，有些無奈，對人生的苦尚未釋懷，所以笑不出來。最後攝影著（詩人）請阿婆，笑一個吧!也還是不夠自在，尚未達到可以向眾生開示、啟示的境界。

如果攝影時，不要叫阿婆笑一個，叫她們兩人專注做菜包，兩眼看菜包（如右邊那位），詩也做小改動。如此境界大概更高，或許就有了向眾生「無言說法」的效果。

〈乞者〉與〈街頭藝人〉，說了什麼？

我小時候，城鎮裡經常看到乞丐，現在極少見。因為「乞」或「丐」都形像不佳，一般人對乞著或丐幫都持負面看法。但成長過程中，也看到出家人的「化緣」，似乎和行乞在「動作」上極為類似，後來我知道這兩者，動機和功德大不同！

最早我讀《金剛經》，開宗明義〈法會因由分第一〉，開始就寫著，「爾時，世尊食時，著衣持钵，入舍衛大城乞食。於其城中，次第乞已，還至本處……」讓我有些不釋懷、不能解，佛陀怎麼還要去乞食？這麼多弟子做什麼？不是都「有事弟子服其勞嗎？」思索很久，才初步對這門功課有些理解，「化緣」、「乞食」和「布施」間，有著太多深妙的學問，有為法（世間法）、無為法（出世法）的詮釋，也都不一樣。

但我初看〈乞者〉這張照片和詩，心裡甚是複雜，乃至有點震憾。這是誰家的老奶奶？為何任其流落街頭行乞？法律上要追究兒孫的遺棄罪，行政上要檢討社會救助制度的漏洞，以及老人安養問題……很多，這張攝影突顯的社會問題可大了，賞讀其詩。

每天
她都在相同的地方等待
等待貧窮走開

太陽帶著紙筆來
將她的身影慢慢描
描兩袖成清風
描鬢髮成霜白

身旁的椰子樹
向天空乞討愛
天空送來沉沉暮靄

她搖著空蕩蕩的黃昏
斗笠裡，裝滿了慈悲的風

第一、二句**「每天／她都在相同的地方等待」**，看似很平常的，卻間接有一種質疑的力量。她每天來相同的地方行乞，當地警方、官員、住附近的居民，難到都「視而不見」嗎？人的同情心也全都不見了，詩中隱涵著社會批判的力道和質疑。

第三句開始到全詩結束，詩人才進入詩的情境，展現詩藝才情，等待有錢丟進斗笠是乞者的期待，等待貧窮走開是詩藝。第二段的四行，借太陽描她的表情，把成語拆開，使意境全出，成為全新的詩語言。第三段我認為也是一種批判，批判

她搖著空蕩蕩的黃昏
斗笠裡，裝滿了慈悲的風

人們失去了愛心，老婦行乞如向天空乞討愛，沒有回應，白做工。

最後詩人只好以「精神財富」為結局，斗笠裡空蕩蕩的，沒有要到一文錢，只裝滿慈悲的風。再次來個反諷，這裡的人和社會都不慈悲，連風都不如，這個現場是那裡？另一首〈街頭藝人〉比較慈悲。

請你，請妳停下腳步
聽一只琴，如何剖心細訴
身世揮毫，坦然置腹一張紙
重壓的石塊，終於明白夢有多紮實

時常垂下眼簾
抗拒一雙雙好奇的探問
多年來，身邊的貓陪我狩獵
用感覺毛，感覺奔忙生活

我用琴音餵食的青春
難免早熟，任音階
一次一次滑過街頭

白天，半瞇著一雙眼假寐
夜晚又深邃明亮如月色
猫與我，是否一樣寂寞

我用琴音餵食的青春
難免早熟，任音階
一次一次滑過街頭

日暮時分，慈悲一聲巨響
有人扔下幾個銅板

現在主角是一個街頭藝人，也是詩人走進她的世界，與她「合體」，藝人用她的琴音述說了什麼？

這個場景好像是台灣某鄉鎮一角，大家常會碰到畫面，我們是否停下腳步？聽一只琴說心事，因經濟壓力如石塊在心頭，不得已才出來「化緣」，就算賣藝也行，有幾個過客能聽出這樣的心聲。

經常有人來探問，居於好奇心，藝人無從回答，她只是要生活，只有猫陪著她。表示她是弧單的、寂寞的，而所能得到的資源極為有限。

青春就這樣在街頭度過，她是一位街頭藝人，為什麼只有猫陪著她？只有琴音可以餵食青春，沒有其他，呈現人生鮮明的孤寂感。藝人背後一定有動人的故事，讀者可以有很多想像空間。

最後兩行，詩人做了「慈悲的結局」，至少有人扔下幾個銅板，表示這個世界依然有愛、有慈悲心的。不像〈乞者〉圖照和詩意，空蕩蕩的斗笠裡，只有慈悲的風，沒有慈悲的銀子。

「日暮時分，慈悲一聲巨響／有人扔下幾個銅板」也隱涵一些深意。日暮時分較安靜，銅板聲音聽起來清亮悅耳。但用巨響形容是一種誇飾，再者強調慈悲心可以產生巨大的力量。

小結這兩首詩，〈街頭藝人〉生活清苦、孤寂，至少人間還有愛。〈乞者〉是對行乞老婦人的詩報導，有撼動人心的力量，從世間法看是一種批判。從出世法、佛法看，我看見這位行乞老婦人，正是觀世音菩薩示現，她來喚醒世人的愛與慈悲，她是來「救人」的，不是來「被救」的。有智慧的讀者，你以為呢？這不就是詩人用這張照片寫這首詩的終極意涵嗎？

當我們給路邊乞丐一個銅板時，從「有相」看是救了乞丐，從「無相」看是救了自己。當年德蕾莎修女在印度街頭，每抱起一個垂死街頭的流浪漢，都說「感謝你，讓我有機會為你做一件事。」德蕾莎的深意在說，「你讓我有成為聖人的機會。」

黑白對比產生強烈的美感

葉莎寫詩也攝影，二者合體成為完整的作品，可從詩裡看到圖像，圖像中含有詩的美學。因此，我在前文也提到，葉莎善用各種對比、落差，尤以黑白兩色的強烈對比，給人一種視覺上的震撼，在《人間》詩集出現最多。例如〈夜是一個囊袋〉：

> 我遂將整個黑夜束成囊袋
> ……
> 整個夜晚我被光明衝撞

這首詩中還有「裝滿流螢」、「靜待黎明」，都有黑與白、光明與黑暗的相對意涵，都可以為詩的美感加分。〈夜談〉中**「我們對望，與一大片黑」**，是詩人內心的光明與黑夜的對談。〈合歡山〉一詩，以極鮮明的黑白意象，彰顯詩境的美感和環境的寂靜，這需要攝影和詩藝兩種才華才辦得到。

脫下黑袍，月亮裸膚
清晰紋著一株月桂樹
傳說逐漸模糊
剩下星星的亮度

當一朵雲，潛行於山的大胸脯
聽見起起伏伏的心跳
紛紛長出青草
莽莽中，刺破了天
刺破黎明，驚醒鳥聲
竟，合歡

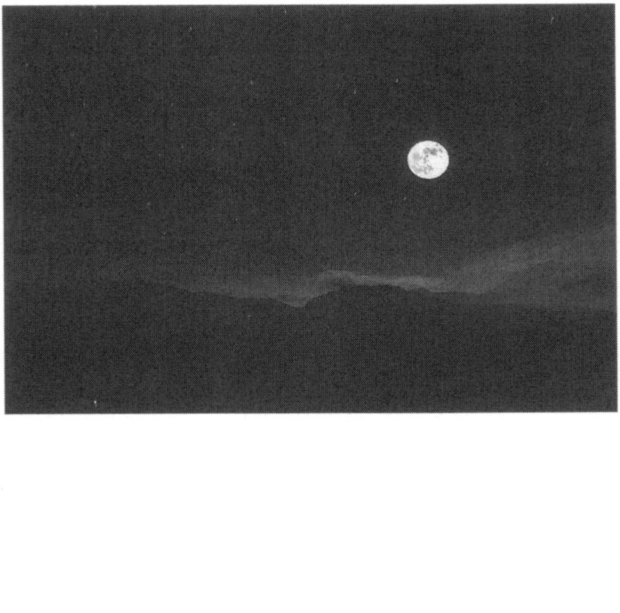

寂靜的合歡山夜空，無盡的黑夜，高掛著一輪明月，她，裸膚，立即帶出美感和想像，這時詩人正享受著人生難得的清淨，並與此刻的各造景物談心。

一朵雲竟潛行於山的大胸脯，聽見山的心跳，這時詩人在想什麼？我知道，不說破，保留神秘感。**「紛紛長出青草／莽莽中，刺破了天／刺破黎明，驚醒鳥聲」**，這裡似乎暗示著一種「青春再現」的動力，詩人對這個旅途中的小站，應該滿意的，各造滿意，竟，合歡！

運用黑白兩種最簡單元素，創造出鮮明對比意象，呈現冷調深邃的意境，這應是葉莎的最愛。而以〈雪中雕像〉是這類詩作的代表。

修行，靜靜數算光陰
光陰一片薄似一片
落在肩上，變成雪

大地純白
那人的背影是唯一的黑

逕自向遠方走去
仰望單生的一株冷杉

我拉攏寒風，擁抱雪
吐納季節的鼻息
看不見的心底
有立壁千仞
心念一動，又坍陷如深谷

平常語言只說光陰似箭，未說**「光陰一片薄似一片」**，這裡又是一個詩的「移覺」技巧，光陰似箭是速度感，不易感受；而薄似一片，是觸覺，從視覺轉移到觸覺，比較容易有感，光陰也是很脆弱的。

每天安靜行走，記錄人間風景，用攝影和詩呈現，對葉莎來說是一種修行。那一年冬天，詩人佇足於這片雪景，捕捉也在雪中修行的雕像，那人的背影是唯一的黑，大地純白。這種強烈對比的情境，容易讓人聯想到人世間的相對待，如大小、左右、好壞、黑白……

末段人在環境中，也受環境影響，而人也好環境也罷，都是無常。起心動念間，天堂和地獄不知來回多少次？蒼海桑田的改變，山河大地坍陷成深谷，都是無常變化。

另一首如〈夜歸〉，**「以為黑夜如海／只有航行的心不肯睡／卻看見一園小白菜熬夜」**。就是這樣，詩人很自然的在生活中、在旅途上，把相對美感呈現在詩境畫境中。自然是「俯拾即是，不取諸鄰」，天工巧妙，不見刻削之痕，這是很難的。

從這兩首詩境賞析，發覺詩人善於運用相對概念，經營構結詩境氣氛，顧及美感、自然、含蓄，含蓄裡面意涵著寬廣的想像空間。理論有所謂主觀、客觀書寫，我覺得葉莎也善於把自己融入客觀景物，創造主客合一的情境，她的詩作流程大都可以看到這樣的身影。

「主題」與「詩文」的對與不對

以前讀初高中時，作文課本上最擔心老師批「文不對題」，那就得重寫，麻煩可就大了。寫作的人，不論寫那一類作品，相信他一輩子都在煅煉「文」和「題」的對與不對，連接或不連接，裡面的學問很大。

功力愈來愈深厚的人，表相看似「文不對題」，內涵則文題緊密的連接。其中高明者，題目所用文字，在文內不再出現，讓人看了有如文不對題，如李商隱的〈淚〉

永巷長年怨綺羅，離情終日思風波。
湘江竹上痕無限，峴首碑前酒幾多？
人去紫臺秋入塞，兵殘楚帳夜聞歌。
朝來灞水橋邊問，未抵青袍送玉珂。

詩題〈淚〉，詩文無一淚字，但內涵處處血淚。宮女失寵淚、閨婦思夫淚、親人傷逝淚、百姓懷德淚、佳人身陷異域淚、英雄末路淚，最慘是寒士忍辱不得志淚。此類作品，初讀者不看題目看詩文，也不知在寫〈淚〉。李商隱善用此道，他另一首〈柳〉也是。

曾逐東風拂舞筵，樂游春苑斷腸天。
如何肯到清秋日，已帶斜陽又帶蟬。

主題是〈柳〉，內文無一「柳」字，卻是傳世經典。有多重詩意，一重柳在不同季節的情態；二引申先榮後悴；三喻人生先成後敗；四重由人的破敗而蘊含悲涼之情。

葉莎這本《人間》，我一讀再讀、三讀四讀，發現主題用字不再詩文內重複出現，計有〈街頭藝人〉、〈賣菜包的老婦人〉、〈妝佛〉、〈花匠〉、〈夜談〉、〈大剪尾〉、〈魚想〉、〈大漢溪畔〉、〈過橋〉、〈蛇〉、〈不言〉、〈旅者〉、〈風箏〉、〈憶榕樹〉、〈眺望山城〉。以上十五首，這是一種技巧，需要精心思索詞字，即古人說的「洗鍊」，所謂「吟安一個字，撚斷數莖鬚。」洗鍊才出詩意，《詩品臆說》云「不洗不淨，不鍊不純」，詩人作品純淨，皆經洗鍊也。

這十五首文題巧妙的詩，有的別文已說，而文題連結最巧妙的是〈蛇〉這首詩。

不知何時
竟長的這麼大了
在海口昂首吐信
舔了一枚落日
發覺尾巴
被遙遠的霧吞噬

深怕一次躁動
震裂了大地，不得不
靜靜躺成河的樣子

主題〈蛇〉，內文無蛇，而實際上也沒有蛇，只是一條河流，想像成一條蛇，這是想像豐富的虛蛇。

「不知何時／竟長的這麼大了」，一開始便製造驚奇，其實指自然地形改變的快速，小溪不久成大河。一條河的形成，如同小蛇很快成大蛇，也在暗示時間過得很快，世事無常，風災水災，隨時可能震裂了大地。〈妝佛〉也是相同技巧安排，惟其意境更深更高。

請刨傷我，像刨光陰一樣
輕輕一堆，記憶就變成碎屑
我曾是鳥的巢穴蜘蛛的家
啄木鳥彈唱的音箱

請琢磨我
直到我長出手足
擁有慈眉和

善目，將生前雨露釋放
讓迷惘的世人均露

這首詩有因緣、因果、輪迴等甚深微妙義。第一、詩人對佛像尊重，貫通了前世、今生到來世的三世情懷，從佛像的前身，一棵樹或一塊木頭開始，作連續性思索。第二、前世的木頭，可能是蜘蛛的家、鳥的巢穴，經雕刻家轉化，有了新的意義，成為佛像。有了形而上的佛菩薩意涵，就要開始普度眾生，啟蒙眾生的愚痴。第三、請刨傷我、請琢磨我，都暗示著成佛之路是不容易的，修行有時是一種苦修。詩人把旅行、寫詩當成修行，不也像從一塊木頭到佛像的旅程。

本文談的是葉莎詩作裡，「主題」和「詩文」的連結功夫，她是專心的在經營、在琢磨的。才能使詞字這麼洗鍊、典雅、純淨，這是一種藝術的吸引力。

〈關於山〉等，藏不住的心事

詩人最善於在詩作中藏一些秘密心事，有時只是感情的寄託、轉移。從屈原、李杜以降莫不如是，李後主還因詩詞中的心事沒藏好而丟了小命。但「詩言志」已是中國詩歌的傳統，在詩中寄以真情、生命情懷，本來就是自然會發生的事。

在《人間》詩集中，屬於思想性書寫表達，如〈空。不空〉、〈水之遺憾〉、〈妝佛〉等是；屬於弱勢關懷者如〈採蚵人〉、〈街頭藝人〉、〈乞者〉等。私密感情、愛情暗喻，如〈雪的聲音〉、〈風箏〉、〈孤鳥〉等，再賞讀幾首藏不住的心事，〈關於山〉。

修行多年
終於變成山的容顏

無喜無悲
更無私情纏綣

直到一條河流穿越
心頭迸出野草
才知道春天
是一種壓不住的苗

文學裡的山通常不是山，例如我有一本詩集《找尋一座山》，在各種領域常聽「山頭」，「政壇各大山頭」、「詩壇山頭」……所言皆非指一座山，另有所指，雖不說明，大家也略知一二。

〈關於山〉看詩意並非指山，而是一個修行者的故事，已經修到「山的容顏」，有

山的定力，泰山崩於前而面不改色，這功力很到家吧！不以物喜，不以物悲，八風吹不動，私情也放下了。

一定是往昔有一段感情挫折，到底是不是完全放下了，**「直到一條河流穿越／心頭迸出野草」**這是強烈的暗示，這河流應該是個有緣人或多情種，讓這位修行多年的人「又動凡心」，心頭長出野草，又起了煩惱。

「才知道春天／是一種壓不住的苗」，詩人是情感豐富的人，心上的情苗怎麼制壓呢？應該是自然成長才是王道啊！

這位「修行多年」的人是誰？她現在要解放自己，自由自在到處行走、攝影、寫詩，這沿途多麼孤寂！她心中在想著一個人，他是誰？另一首〈雙心石滬〉。

我攤平自己
成一個淺淺的潮間帶
好讓情人的誓言
游成幸福的魚

等所有的魚游進石滬
冬天的時候
你就不會挨餓

你若夾起海洋
掉下一些波濤
那是你也是我的昨日

這首的詩意比較屬於客觀的，屬於詩人的主觀情懷已是過去式，自己能釋懷，也能為天下有情人設想。希望所有情人的誓言都成真，大家都是幸福的游魚。

中間段語意不明，所有的魚游進石滬，冬天不挨餓所指為何?誰負責供餐?當然我這樣問也不對，詩大多不能以理性解釋，甚至說不是理性的東西。就如葉莎在贈我這本《人間》詩集的題語說，「有時候詩是雨，有時候詩是黃昏」。

我攤平自己
成一個淺淺的潮間帶

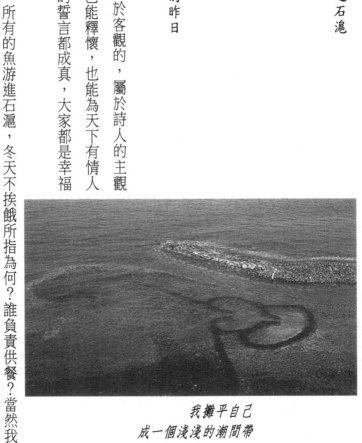

《人間》人生感懷小品

按中國文學「文如其人」的理論推演，或詩言志緣於性情說，詩人寫的每一首詩，就算不完全寫自己，通常也有自己的思想理念元素。西方雖有主張客觀書寫者，如法國十九世紀的寫實文學家佛祿拜爾，主張把自己情感收藏起來，完全寫客觀事實。但毛姆最後評論佛祿拜爾的名著《包華荔夫人》時，還是說「他把自己藏在這本書中」。所以，我相信，任何藝術工作者，其作品必呈現有自己的思想意涵，朱銘的〈太極〉就是朱銘的，李安的《臥虎藏龍》就是李安的，一定有某種程度上，體現創作者的心態、思想、情感等。

葉莎也是，葉莎的詩就是葉莎的意涵風格，她的世界、她的情感，她的人生路走到現在，所有她的愛恨情仇和學習修行，以及反省思考種種的詩化詩寫。讀她的每一首詩，我會走進，不是只有走近，而是進入她的思想世界，都看到詩人寂淨的芳影，鮮明亮麗者有之，隱約淺淡者有之，情景交融後，都是她自己。所以，喜菡品賞〈水之遺憾〉一詩說，「葉莎哀屈原，何嘗不是哀自己？」

《人間》詩集，有些詩作很鮮明把自己融入詩意，成為這首詩的靈魂，如〈水之遺憾〉、〈空。不空〉、〈不言〉、〈雪的聲音〉，約有十幾首，大部份則含蓄中加密碼，不專心讀，不深入她的世界，你見不到她。

有些隱隱約約看到她淡淡的身影，有對人生淡淡的感懷，輕輕的嘆！有幾首我讀起來很經典的小品，是她以婉約柔和的心，捕捉到自己的心情，〈童年的天空〉。

童年的天空
游來一池歡樂的雲
許多年後才明白
那些分歧的枝椏
指的是
我和你的命運

這樣的情懷感嘆，我打賭人人都有，童年時代的人事，三十年後必有「不可思議」的變化。最近一則新聞，美國某大學的法律系一班畢業了，班上一個黑人同學不長進淪為竊盜，過了十五年仍以小偷為生。某次被警方抓到法辦，庭上辦審的一個女法官，正是這位小偷的同班同學，黑人一見，當庭哭倒……也只能痛哭了！

童年的好玩伴，幾十年後，去了不同的黨派、進了不同的國度、進住不同的房子（豪宅或監獄）、有了不同的身價（富豪、工人或流浪漢），以及愛情婚姻的奇異故事，烏雅變鳳凰，青梅竹馬已分家，或豬羊變色，或瞬間成敗轉頭空……每一個都是一部傳奇故事。

這首〈童年的天空〉，對人生從童年到成人，到中老年的不可思議轉變，人事的分歧、分離、分裂等現象，把握住了「普遍性」法則。任何人看，任何時代的人看，都必能引起甚深共鳴，同歸一嘆！很成功的小品。〈世事〉也很經典。

世事。荒涼
所以才在胸膛種滿繁花
趁著白雲未變蒼狗
小羊結隊而來

小羊結隊而來
莫踩壞了我的胸膛
趁著日薄猶未西山
世事自在。繁花

這首詩體現的是詩人的人生觀，乃至宇宙觀，至少是現在進行式的。但首先，得把宇宙世界、山河大地，擬人化，擬成一個人，否則不能在胸膛上種花。

這首詩在技巧佈局上，也用了有和無的二元對待，二段八行相對，思維結構嚴謹。

與〈童年的天空〉，不同類型表述，相同的絕美。

「世事。荒涼」有兩層意涵，世界原來什麼都沒有，沒人，沒事；後來有了人，就有很多事。再者，從無為法看，「菩提本無樹、明鏡亦非常臺」，這個世界本是空無、荒涼的世界。或著也可以不這樣解讀，詩人經過一些人生刻骨銘心的人事變遷，深感世事荒涼，心灰意冷，原有的熱情不見了。

但詩人不要一直荒涼下去，人生還是有值得追求的事，例如在胸膛種滿繁花，趁著白雲未變蒼狗，小羊結隊而來；還可結交新朋友，吾人形容人生白雲蒼狗、白駒過隙，是說世事不測，光陰迅速，詩人也想把握這青春的尾巴，恢復一些熱青，追求自己想要的。

第二段期待自己以平常心看待世事，趁著日薄猶未西山，擁有自在的生活。葉莎善於拆解成語，創造新句法，這首小詩就有二處。但此處的「日薄西山」若改「日薄崦嵫」較佳，前者較悲觀，「日薄西山」比喻老年將死，如李密，「但以劉日薄西山，氣息奄奄；人命危淺，朝不慮夕。」

而「日薄崦嵫」比喻老年暮景，如《楚辭》，「望崦嵫而勿追。」語意上不會太悲觀，也較能配合全詩意境，合於「世事自在」的結尾。

詩人年輕時候可能有不少理想，有自己的堅持和追求，跑了不少地方，但最後發現，最溫暖、自在的地方，是老家住過那條古舊的〈小巷〉，也頗有淡淡的人生感懷。許多人都走過這樣的路。

舊了的是話語
不停撞擊細雨石牆
以為遺忘了
又被多事的風拾回

你把這些年比做樹
茁壯的是思想
我倒覺得自己是落葉了
在一條穿梭多年的小巷
靜了

職場上打拼太久了，有些厭倦、無感，早已遺忘何謂人生！又被多事的風「拾回」，找回自己，又喚醒了自己。這多事的風是誰？

至少思想是成熟了，找到了自己，有如落葉，落到自己的土地上。在這條曾經住了很久的小巷，安頓身心，過著平靜自在的生活。

覺得自己是落葉，也意涵人生最後回到原點，這是很多人到中年時的感受。年輕時，拼命向外追求，財富名聲都有了，只是內心空虛，原來他尚未「回家」，於是他回到「心靈的原鄉」，找到「本來面目」，人生終於有了圓滿的結局。

《人間》典雅小品

「典雅」，是詩歌文學常用的評語，然典雅為何？《詩品臆說》云，「典，乃典重。雅，即風雅、雅飾之雅。」在《詩品淺解》言，「典則不枯，雅則不俗。」司空圖的《詩品》對「典雅」內涵有較多著墨。

玉壺買春，賞雨茆屋。坐中佳士，左右修竹。
白雲初晴，幽鳥相逐。眠琴綠陰，上有飛瀑。
落花無言，人淡如菊。書之歲華，其日可讀。

前兩句，「買春」非現代人之「買春」，唐人以春為酒名，或指春景，品酒遊春，春景悉為我得，直以為買耳。玉壺是酒器「茆」即茅字；修竹是長而美之竹，為典雅之物。合起來解釋：品酒遊春，茅屋賞雨，坐中佳士，左右修竹，一群文雅的朋友。

中間兩句，「眠琴」即橫琴不彈，人倘佯綠陰下。合起來解釋：白雲初晴之際，眾鳥相逐遊戲。放著琴不彈，人倘佯綠陰下，上有飛瀑，詩人所有，寧非典雅之極？

後兩句。菊喻清高隱者之志，書是書寫，「曰可讀」是可讀之詩文。合起來解釋：落花無言，隱居之我等，如菊清淨，書寫典雅之歲月，必為可讀之詩文。

如是言之，典雅豈惟屬於不食人間煙火者乎？準此，《人間》詩集作品，大多有典雅之特質。典雅之詩人，產出典雅之作品。本文舉數首為典雅之代表作，品賞〈玉蘭花〉。

我在花藍裡幽香
在車陣中不停流轉
陪著破斗笠和一襲舊布衫
叫啞時光

車窗內有人伸手
握住晨曦，並輕聲喚我玉蘭

我是淡淡的一縷香
生命是一掬就空的花籃

前面講到典雅是青山白雲間，眠琴綠陰下，這分明是在「無人之境」的典雅。〈玉蘭花〉在車陣中流轉，怎麼個典雅？這個問題我請老友陶淵明先生回答，詩人陶淵明〈飲酒〉一詩，「結廬在人境，而無車馬喧。問君何能爾，心遠地自偏……」。這首詩是中國詩學「意境論」的典範作品和開山鼻祖，為何？意境不能只是存在高山流水間，更應該存在人眾中，結廬在俗塵環境，而不感到喧鬧，這是有「功力」的意境。再舉一例，甲欲得一靜，非得入深山才覺心靜，回到紅塵又覺心煩，這種靜是層級很低的。乙不論人在何處！市場、飯店、職場、山裡，都自在清淨，不為外境影響，這是很高級的「靜」。

回到〈玉蘭花〉，阿蘭日子雖然清苦，生活還是樂觀自在，每天車陣中流轉，叫啞時光，依然散發著一縷幽香。車窗內有人伸手握住晨曦，輕喚一聲玉蘭，氣氛温馨。整首詩情境、用詞，甚為典雅，最後一句很關鍵，表示阿蘭對生命有正確的認識，生命是脆弱與短暫的，要活在當下，活得自在典雅。再賞讀〈遛時光〉，

轉進胡同
兩旁的石瓦磚牆，將
我夾的更瘦了

在北京，時光慢慢
變成一隻鳥
蓋著黑布
和自己一樣靜

詩人在北京遛時光，過著悠遊自在的日子，能不典雅乎？「兩旁的石瓦磚牆，將／我夾的更瘦了」，一個移覺的技巧，變成一隻鳥，蓋著黑布，才能更清淨。就像陶淵明，結廬在人境，而無車馬喧，是最高意境。詩人結廬在北京胡同裡，能逍遙自在，也是一種修行功夫，有了境界，自然典雅得起來。另一首〈提起初秋〉，是秋景的蕭瑟典雅。

夏末荷池
妳垂下自己，和我交談
提起昨日浮萍因水流盪
又不幸和誰相逢的種種

陽光西移，有雲東進
其中一支傘是殘破的自己
記憶衣衫襤褸
雨，喜歡沿著蟲咬的痕跡
一個池子，初秋

這是一首典雅、自然之作。自然者，俯拾即是，不取諸鄰，隨手拈來，就是佳品，能有自然情境，才有典雅意涵。

秋的意象是蕭索清寂的，萬物入秋則氣衰，但這是自然。並非「買春」才是典雅，夏秋冬季，若能美景悉為我得，何償不是典雅？

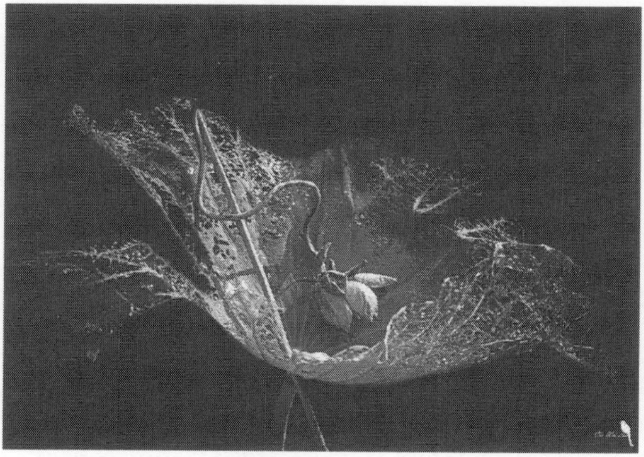

〈提起初秋〉詩人與萬物融合，才能和一片殘破的荷葉交談。修竹、玉蘭花典雅，一支殘葉可以典雅嗎？當然是可以的。比如說，青春美人、文人君子可以典雅；寒士老夫、貧僧貧道，只要有層次、有境界，也可以風雅典雅，就像這枚殘葉，我感覺就像一位遲暮婦人典雅的神情。

通常攝影者捕捉的美感，是繁花盛開、青春亮麗的美麗意象。但為什麼一支殘破的自己、衣衫襤褸，已經下台的人生，又有機會走上舞台正中央？一定就是攝影者為彰顯這個世界的成、住、壞、空，體現生命的生、住、異、滅，化身為一朵殘荷，向眾生說法，看她的遲暮神情，依然自在！那樣典雅！

〈在煙霧裡寫詩〉，詩在生活裡

有人問禪宗修行者：「禪師！您是怎麼修行的？」禪師答：「我就是吃飯和睡覺。」

問者反問：「我們也同樣吃飯睡覺，難道不也是在修行？」

禪師搖頭說：「不然！你吃飯食不甘味，心在別處。你睡覺，輾轉反側，睡不安穩，心想著賺錢事。我吃飯，菜根都是香的，我睡覺安心入眠。同是吃飯睡覺，效果不一樣了。」

明代王陽明有詩曰：「飢來吃飯倦來眠，只此修行玄更玄；說與世人渾不信，卻從身外覓神仙。」所以，佛法、禪意，盡在生活中。寫詩也一樣，生活所見處處都是詩。葉莎目前過著詩樣生活，生活漾詩，小生意人的生活打拼，葉莎都能「洗」出詩，〈在煙霧裡寫詩〉。

她們在煙霧裡寫詩
煎熬的語詞，薄而且濕
加了爐火，煮沸了許多日子

她們少言語
具有沉默和難解的體質
那天見到我來
突然切換淺白語系

說生活不過來來去去
這頭走到那頭而已

前兩段是寫婦人的工作情形、環境，她們是那樣專注，人在心在，工作是她們的修行。最後兩句才這首詩的靈魂，因這兩句境界才出。以這兩句總結全詩四層意境，一者生活簡化成來和去，這頭走到那頭；再者提昇到眾生生活的普遍性，也是來和去，這頭

到那頭；三者再提昇到三世因果，來和去，此岸與彼岸；最後回到人間生活工作的二位婦人，她們對生活、生命有清楚的認識。當然，這些都是詩人思想、理念的融入，包含〈曬麵線〉詩照的詮釋。詩人如一位禪師，都是「生活家」，生活中有禪、有詩，不需遠求。她們在煙霧裡寫詩，眾生在紅塵裡寫詩。然而，這要有慧眼的人才能看見，因為「牛眼識青草、慧眼看英雄」。

〈曬麵線〉的第一段，詩人又使出移覺、轉換技巧，把麵拉得細長變拉陽光，穿越所有生活層面，生活有陽光。

她們靜靜的工作，**「聽見紅瓦和陽光敘舊」**，是把沉悶的工作，人在炙熱的大太陽下爆曬，很辛苦的，為輕鬆化、詩化，寫成紅瓦和陽光敍舊，也可以使詩意情境鮮活。再品

曬麵線
將陽光拉一拉
竟細細瘦瘦
輕易穿越層層疊疊的生活
妳安靜工作
聽見紅瓦和陽光敘舊
青春曾經如詩
在廣草踢踏成火
如今曬一曬
打包之後，輕巧成乾貨

賞〈臨摹〉一詩。

如果你願意聚睛
一個夏天，會神一場蛻變
多事的青蛙會告訴你
雨的心情如何蜿蜒

而我臨摹的，並不是一片荷田
一場風聲或一次搖曳
而是繁榮之後的一種醒
枯萎之後，恬淡甘心

演繹生命原來不必言語
憂傷如何倒下
喜悅就如何站起

讀這首詩，讓我感慨萬千，如說的是我，只是我更嚴重，改成我是「毀滅如何壞我／新生就如何再起」。但葉莎這首詩比較俱有普遍性意義，許多商場老闆，政壇風雲人物，多少有所成敗起落，風光之後，回歸平淡生活，追求人生另一種境界，也是成功。

不論面臨多大的慘敗，只要你願意，都有以另一種方式再起來的機會。重生新生，永遠留給願意改變的人，如這位畫荷的老者。

「而我臨摹的，並不是一片荷田／一場風聲或一次搖曳」，這也是一個有意的轉移，從「形相」轉移入心境，不在「相」

而我臨摹的，並不是一片荷田
一場風聲或一次搖曳

上說臨摹，而是心境的改變，風光不在之後，產生的一種覺醒、覺悟，人生有了境界，是比當大老闆更有意義的成功。所以，**「演繹生命原來不必言語／憂傷如何倒下／喜悅就如何站起」**。詩人在詩寫一個客觀的事實，何嘗不是自己生命歷程的寫照，那時憂傷如何倒下，詩旅的喜悅就如何站起。

吾以為，世上一切人，難免有些成敗起落，乃至大起大落，死中逃生，只要一息尚存，應儘早勇於尋求改變的時機，只要願意，必有機會，憂傷如何倒下，喜悅才有機會站起。詩人，她，是個活生生的典範。

莫渾渾爾，莫噩噩爾，莫拖！憂傷不倒下，喜悅永無機會站起，黛安娜王妃是也。〈臨摹〉如禪師一巨棒，夯在腦門上，還不醒、不悟！你是什麼生的？

顛倒、對調與相對的詩趣

詩人為發揮創意、想像力，總會有意想不到的詩句，打破常規或定型，顛覆科學和邏輯等。如誇飾法的「白髮三千丈」，顛覆科學的「黃河之水天上來」，詩人的想像力是一支點金棒，能點石成金。

葉莎善用二元對待，創造相對理趣，在《人間》詩集中，幾乎每一首詩都能看到這種影子。其中有些詩作，不僅用了相對技巧，且達到顛倒、對調，產了高度詩趣。所謂「顛倒、對調」，不單只是一種理趣，層次高者還是一種悟境。這種典範作品，如吾國梁朝傅大士（傅翕）的一首詩最多傳誦。

空手把鋤頭，步行騎水牛；
人從橋上過，橋流水不流。

這首詩若從文字邏輯上讀，是完全不通的，胡說八道。即是空手，怎說拿一把鋤頭？即然步行，怎說騎水牛？人從橋上過，橋不動，水在流動，怎說橋流水不流？不通！不通！不懂！

但從參禪修行的悟境上看，這首詩可謂悟透了宇宙人生的真理，如青原禪師看山是山、不是山、又是山的開悟過程。從禪者的佛眼看，「空手」和「把鋤頭」、「步行」和「騎水牛」、「橋流」和「水不流」，都是可以調和的，世間法的分別心造成了對立。其實，流和不流不是兩回事，有和無也不是兩回事，這就是矛盾中有統一，差別中有平等。賞讀〈趕鴨人〉。

牽牛花一路聒噪
鴨群只是沉默
昨夜，李白沒把月亮撈走
今晨鴨子們戲耍幾番之後
羽毛都有了月光的顏色

那趕鴨人一路吆喝
集結一塘月色

聒噪的本是鴨群，現在「嫁禍」給牽牛花，叫牽牛花百口莫辯，這是高招。鴨的羽毛潔白如月光，卻「嫁功」給李白，不僅有了倒置理趣，也創造新的詩語言，提高詩的意境。

意境如浮游，逍遙自在，不受形相限制，通常也不屬於感官的。可有可無，有無一統；可左可右，左右統一，很有趣吧！賞讀〈看橋〉。

夏日看橋
橋上影影綽綽
華燈結伴，星星初上
一些，近

一些，遠

秋日看橋
橋下大漢溪無聲
緩緩流動一片寂寞燈影
一盞，此生
一盞，詩

輕輕揮手，手心沾滿月色

如傅大士一樣，用了橋上、橋下的相對概念，只是程度不同，也是不同意涵。兩首詩差異在，傅大士的悟境高，葉莎的意境則略高。

兩段橋上橋下相對，各段**「一些，近／**

緩緩流動一片寂寞燈影

一些，遠」、「一盞，此生／一盞，詩」也在相對中產生了意境。

最後一行做詩的結語，**「手心沾滿月色」**是強烈的移覺，把視覺轉到觸覺。手心都能沾滿月色，可見今晚月色多麼明媚動人！再讀〈過橋〉。

你先，還是我先
眼神互相推讓
對岸的山不動聲色
悄悄穿上更深的秋天

是水，還是礁岩
才說昨夜初讀細雨兒
滴滴，點點

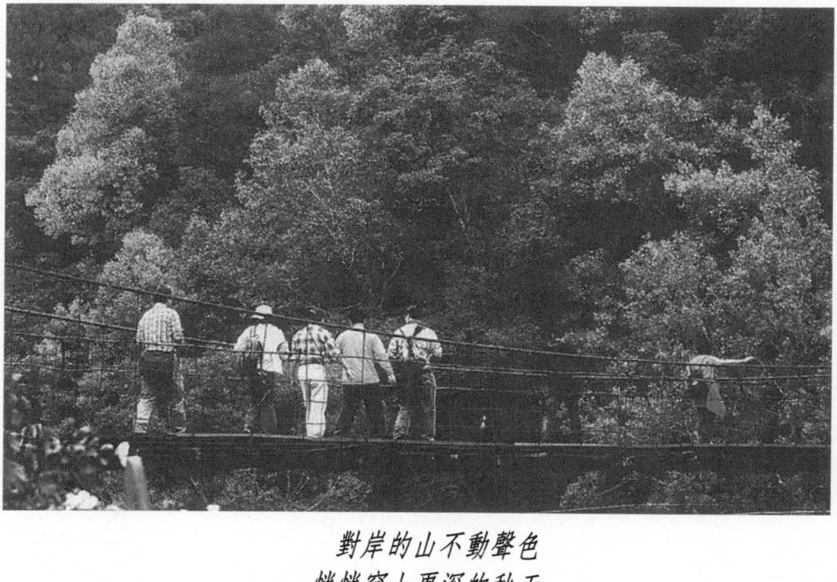

對岸的山不動聲色
悄悄穿上更深的秋天

此刻整座山谷又被嘩啦啦撞響
熟了，還是未熟
這天色，這楓，這些人

也在詩說橋上橋下情境，詩人說了什麼?也沒說什麼!不過是捕住一網美景，橋上有人，借景向眾生說法。

我只想解讀詩人拍攝此景時的心境，就如這山的不動聲色，熟了或未熟?永遠也沒有答案。

靜。寂，〈簡單過日子〉

那晚，揚松約大家來「神秘花園」餐敍品酒，我利用這個機會將部份稿子給葉莎看。同時在門口庭院小桌，聊些出版相關事宜，葉莎問我目前與詩壇交流情況，我答：「幾年來我極力簡化生活、交際，詩壇上有往來沒幾個，除台大有些雜事，餘專心寫作。」

我目前可用「極簡生活」形容，可能是生活簡單、思想簡化、交遊單純簡單，才會和葉莎的「簡單過日子」，以及她純淨的詩，有了心靈上的感應，就有了想進入她的世界的誘因。賞讀〈簡單過日子〉。

喜歡和同伴一起
不發一語
以眼神談談天氣

低頭啄自己的瘦影
偶爾發現影子裡有魚

收束羽翼
絕口不提天涯與詩
輕易攪動幾個波紋
一圈圈盪漾
一圈圈散去

這首未編入〈主角〉和〈佈景〉二輯，置於書之最美角落，定有特別意涵。又以手稿原樣印出，應有新意，字跡娟秀如人，兩輯幾十首詩我讀其「意」，手稿和照片我讀其「相」。

喜菡說「靜」是葉莎追求的生命主調。

我讀了這麼多她的詩作，又如此深刻的進入她的詩國疆域，進入她的每個角落，核心到邊陲，採索她的詩品所有可能的意涵。我也感覺，「靜」是她每一首詩重要的情境，這和她追求簡單生活有關，就如這首〈簡單過日子〉。

有一回我和一個朋友聊起「簡單生活」，及至在倭國風行一時的「極簡生活」。結果他說「某人頭腦簡單，差點被賣了，不能簡單啊！」顯然，這位朋友所認識的「簡單」，和我說的「簡單」不一樣。他是長袖善舞的人，每天都轉旋於許多人際之間，談不完的生意，喝不完的美酒，賺不完的錢，「不簡單！」他說著。

我說的是另一種簡單，宇宙的真理都是簡單最佳，如因果、因緣、無常、真誠。愛因斯坦把宇宙萬象化約成最簡單的公式「**$E=MC^2$**」，這是最美、最終極的「宇宙詩」，不是嗎？有句話說「簡單就是美」，簡單的生活才自然、典雅，最美！

〈簡單過日子〉一詩，是詩人目前生活、人生觀的詩寫，喜歡和好友在一起，話極少，喜歡當一個聽者。**「絕口不提天涯和詩」**，因為天涯「汝人飲水、冷暖自知」，說不明白，講不清楚，何況許多感覺難以言傳，說了也是八卦，詩也不是拿來聊八卦的。幾回在揚松的餐敍見到的葉莎，人如其詩。再賞讀〈逆光〉。

回家，小路順光
我們越過一株寂寞的相思樹
和三叢矮荊棘
看著彼此的影子黑了

回首再望一次荷
逆光中，昨日隱隱約約
此刻安心蒼老
靜。寂

這首詩的情境和〈小巷〉一詩類似，**「我倒覺得自己是落葉了／在一條穿梭多年的小巷／靜了」**。人生經過奮鬥、風光、挫折、起落後，對生命的意義、人生的目標，都有更深的覺悟。因而，選擇回歸平靜，過簡單、平淡的生活。好像多數人如是，年輕時把家當旅館，有些年紀後才想到要回家，**「回家，小路順光／我們越過一株寂寞的相思樹」**，太久沒回家了，那棵相思樹也感到寂寞。

快到家了，**「回首再望一次荷／逆光中，昨日隱隱約約」**，回首前塵，那些風光、挫折、成敗，隱約可見。然而，**「此刻安心蒼老／靜。寂」**，那都是過去式了。

葉莎所追求生命與生活平靜的主調，如果只限於她自己小世界的寧靜，層次是不高的，境界也是不夠的。就像陶淵明，若只能在高山流水間寧靜，到了城鎮靜不下來，這不是「真靜」，境界不高，必須從內心，從眼睛看出去，客觀世界也是寧靜，整個宇宙也是寂靜，這是有意境的靜，這才是「簡單」的思維。

葉莎的詩作，除了自己小世界的寧靜、簡單，從她的眼睛看出去，看到客觀大世界的景物，依然深刻的感受到一種寧靜、簡單的美感。如這首〈舟泊水邊平如鏡〉，詩和攝影都呈現出動靜皆美的感覺。

將皺紋梳平
我就成為一面鏡子
你在鏡上作畫
讓藍天更藍，遠山更遠
更深處一片秋天茫茫

水中有草
水草輕輕搖著夢幻
草中有魚
草魚幽幽吐出泡影

那必定是舟子的苦心
暗自忍住不再乘風
我才能永遠當一面鏡子
捧著天色，寧靜

現在詩人化身成為一位「舟泊水邊平如鏡」者，這叫「物化」，我們就叫她平鏡小姐好了！

微風徐徐，興起圈圈漣漪，平

讓藍天更藍，遠山更遠
更深處一片秋天茫茫

鏡小姐以她心愛的梳子，把一圈圈漣漪造成的皺紋梳平，成為一面純淨的鏡子，請你在鏡上作畫。這個「你」是神秘的造物者，很少人能感覺到他的存在。

水中有草，草中有魚，草和魚都在編織美麗的夢景，這個清寂寧靜的風景，正是詩人現在的心境。但這個寧靜的保持多麼不容易！**「那必定是舟子的苦心／暗自忍住不再乘風」**，依然有些衝動，想去乘風破浪，想去再顯風光，終於還是忍住。

忍住，不再乘風，久了也就自然了。**「我才能永遠當一面鏡子／捧著天色，寧靜」**，簡單過日子，管他宇宙多大、多複雜，不過是 **$E=MC^2$**，靜、寂。

寫境與造境：《人間》三首風景詩賞閱

中國詩歌意境理論的終結，認為詩歌美學的體現，就在「境界」二字。境界的基本特徵在於情景交融，怎樣寫情？怎樣寫景？王國維的「寫境」和「造境」之說，就是針對這個問題解釋。但理論不必多說，葉莎這本詩集有不少寫境、造境之作，如〈夜是一個囊袋〉、〈孤鳥〉、〈關於山〉、〈合歡山〉、〈草山月世界〉、〈夜宿日光海岸〉、〈大漢溪畔〉、〈夢裡漁村〉等，均可以當成範例閱讀、欣賞。

「寫境」側重寫實，描寫客觀事實是重要特徵，通常稱寫實或現實主義。但寫境也不是照搬生活見聞來重製，還是融入詩人主觀的感情、理想，反映現實生活。

「造境」側重理想，虛構情境是重要特徵，或有人叫浪漫主義。但造境並非全是空無虛幻的，應合於自然、真實的情境，當然這種「真」是文學的真，不是科學的真，二者皆真，不同的真！

所以，不論「寫境」或「造境」，合乎自然是重要的要求。本文例舉《人間》詩作中，〈草山月世界〉和〈大漢溪畔〉為寫境範例，〈夢裡漁村〉為造境範例，先賞讀〈草山月世界〉。

你在身上堆滿砂礫
寧願寸草不生
那些風化的容顏
無人能懂的滄桑
成了一首被遺忘的詩

我撿了一些流動的風
和堆積的雨水
躺成多風情的湖面
就這樣攬你入懷

所有的歲月
盡是曲折迴腸的句子
等待旅人來翻閱

寫境、寫實，大體上詩人是曾經身歷其景物，詩人才能把自己融入，讓主觀的感情在境中呈現。吾人不管「草山月世界」何在？只管從詩意解讀詩人當時的情境，她在想什麼？

詩人把草山月世界擬人化，才能進行對話。**「你在身上堆滿砂礫／寧願寸草不生」**，這是草山月世界的環境，無人能懂的滄桑，但她（它）很美，如一首詩，只是被人遺忘。

湖當然是自然形成的，被詩人擬人

盡是曲折迴腸的句子
等待旅人來翻閱

化後，**「我撿了一些流動的風／和堆積的雨水／躺成多風情的湖面」**，如此意象鮮活，意境就出來了。最後曲折迴腸的句子，明指草山月世界的形成，暗喻自己人生路的若干曲折，等待旅人來賞景，也是在等待有緣人來「看我」。再賞讀〈大漢溪畔〉一詩。

當青山將流雲越推越高時
天空的臉就白了
我們凝視秋天
發現蘆花的憂傷，在風中
越搖越遠

暮色從來不肯吐露真言
說星星正靜靜蹲在她的腳邊
只有河流坦白，從寬
讓每一粒石子，站上夜的起跑點

所謂天空的臉就白了，應該就是創造意境上的空靈美感，增加寬廣的想像力。但蘆花為何憂傷？和詩人此刻心情應是有關的

第二段暮色不露真言，因為暮色來了就來了，無言可露，前兩句都刻意詩化語言，第三句把成語拆開，創造新句，也有了新意，河流公平對待每一粒石子。看〈夢裡漁村〉如何造境！

你睡了，足跡沒有睡
追隨白日的眼瞳又回到漁村
遠山被霧包圍，彷彿舊日朦朧
一旦凝視，又躲入海中

海，彎了
彎成山的面容

山的面容模糊
一條舢舨船恍恍惚惚
忘記昨日來路

所有的故事都醒來
連袂長成屋宇
而你似乎沉睡
任夢中漁村，自在黎明
自在黑夜

夢裡漁村，看似夢中情境，透過想像力虛構之。但並不能說不存在、不真實，類似這種夢中情境的作品，如寫夢中情人、夢中故鄉，依然是浪漫而真實的，不能說都是虛構不實。

一條舢舨船恍恍惚惚
忘記昨日來路

道家所說「道」的內涵，老子認為「道」是萬物之本源，是一切生命的終點。但你說「道」在那裡？看不到，也摸不到，如何證明道是存在的？於是你便否定了道的真實性，也只能說你的層次太低了，你沒有境界。

那「惟恍惟忽，忽兮恍兮」的道，是真實的存在、空靈的存在、形而上的存在，如此說明只是用來詮釋「夢裡漁村」的真實性，這是意境的創造和真實。這個漁村和詩人必有某種因緣，否則不可能進入詩人的夢境。

詩人思念這個漁村如思念故鄉，雖已久遠，但日有所思，夜有所夢，**「隨白日的眼瞳又回到漁村」**，漁村依舊，遠山依舊。

海景和山勢如夢中模糊，因為太久了，**「一條舢舨船恍恍惚惚／忘記昨日來路」**，夢境當然是恍惚，也不記得來時來。有來無來是不確定的，只是夢境！

「所有的故事都醒來／連袂長成屋宇」，大概漁村附近都過度開發，蓋了許多房子。只有漁村是原來的漁村，在黎明中自在，在黑夜中自在。

〈水之遺憾〉，詩人要說什麼？

這首詩在《人間》詩集中，應該是僅次於〈空。不空〉的力作，〈水之遺憾〉到底在說什麼？或詩人想要表達什麼？吾以為是有些難度的。例如，對佛法說的「有為法、無為法」毫無認識，如何深入理解〈空。不空〉詩意？對中華文化沒有基本的底蘊，也無從與詩人寫〈水之遺憾〉的心境接心！所能領悟這首詩的意涵甚為疏淺！

〈水之遺憾〉一詩，首先要解題。本意是屈原的遺憾，轉移成水之遺憾，當然是因為屈原投水而死。從屈原的遺憾轉移到水的遺憾，有三點說明：

第一、詩人在詩藝上，善於運用移覺、轉移、相對或倒置等技巧，使人和景物融合，進而破除二元相對，達到矛盾中的統一，也是主客的統一。如〈空。不空〉中，客觀世界的一切，轉成一句**「衣角一群奔忙的風」**；〈趕鴨人〉把牽牛花和鴨群角色對調，立場倒置；〈賣菜包的老婦人〉把白胖的包子，轉移成白胖的日子。凡此，都是一種轉移、移覺，使文字產生詩化效果，增加想像空間。

第二、把屈原的遺憾說成水之遺憾，有兩個作用，一者擴大遺憾範圍，屈原是一個人、一個地區，水遍滿全世界；二者使遺憾「客體化」，不是一個人的遺憾，其遺憾如水，是無邊無界的遺憾。

第三、增強遺憾的嚴重性。水是地球生命三要素之一，水都遺憾了，地球上的生命如何維持？比喻屈原的遺憾是整個生命演化、社會發展過程中的遺憾，這種事若一再發生，人類社會將如維持？

對於〈水之遺憾〉應先解題，再入詩文，較能把握詩意，也較能貼近詩人的心意，知道她寫這首詩時，心中想什麼？賞讀詩的全文。

我遺憾未能將你接住
像煙雨拉攏牧童，笛音揉和山水
當你行吟澤畔，形容枯槁
我遺憾不能讓所有的風成為弦的一種
等你拉響委屈，成就我的臉紋

我遺憾將你接住
像一座山接住烏雲，夏雨追打濕透的衣服
明朗從此成一種遠，雨從此成為胸膛
舉世之濁，更濁
我遺憾讓所有的鏡子連成一面水
等你一躍而入，破裂成一種濤聲

自稱江水，卻不敢再茫茫
我是一本清醒的楚辭

這首詩用了二元對待概念，遺憾未能將你接住與將你接住，是明顯的矛盾。當二者都正確時，便是統一，詩人所述能被「矛」「盾」接受認同，也是統一。舉台灣的統獨鬥爭為例，若有一種政策或論述，能被統獨兩派接受認同，便是矛盾中的統一。

再者，即說「未能接住」與「接住」，在感覺上，詩人和屈原的「距離」，必須在極短距離內，如數公尺或三十公尺內，才能談能不能「接住」，就像接住對方傳過來的一顆球或一件禮物。若二者距離遙遠，都談不上接住接不住的問題。所以，論詩意、說詞意，詩人和屈原已經破除時空限制，他們如同時代同村落的人，詩人和屈原同在江邊，他們是近距離的對話。

第一段，**「我遺憾未能將你接住」**，語氣如同吾人對一個死去的朋友說，你因冤獄而死，我遺憾未能將你救出。詩人以如是情境對屈原說，只是內容不同，未能接住你的委屈，未能接住楚辭的精神，你跳江時未能及時救你。乃至未能接住吾國第一位偉大詩人的詩品風格，期許自己要在詩創作上更精進，如接住楚辭。

「像煙雨拉攏牧童／笛音柔和山水」是自然的相應、感應，詩人期許自己和屈原，如同對坐一起品茶聊天的知音，二人相應、相融；就像煙雨和牧童，笛音和山水，多麼和諧？多美麗浪漫的二人關係！

只可惜，**「當你行吟澤畔，形容枯槁」**，一切的痛苦讓你一人承擔，你形容枯槁，是我永恒的痛！**「我遺憾不能讓所有的風成為弦的一種」**，等你拉響委屈，平反冤情。就像對那位冤獄而死的朋友說，遺憾請不到更大的律師團，也找不到「包青天」，讓你冤死！若能救到你，**「成就我臉紋」**，安慰是可能的解釋，也可能是個謎題，保留一些想像空間。

第二段，「我遺憾將你接住」，接住你的委屈、接住你的苦難，又接住你的歷史和詩人的使命，壓力很大，也很危險。就像一個師父把所有傳法大事，叫一個弟子接住，弟子覺得壓力太大了。**「像一座山接烏雲，夏雷追打濕透的衣服」**，不是失去自我，又很危險嗎？馬上被雷「電死」，本段後四句都是一種遺憾的形容。詩人彷彿親眼看見不遠處的屈原，躍入如鏡的水面，激起破裂的浪花，如破裂的國事。

最後兩句詩的結尾，簡潔總結客觀情境，**「自稱江水，卻不敢再茫茫」**，屈原死於江水，從此江水行事低調，深刻自我反省。而屈原，不論投不投江，都是清醒的，忠君愛國的精神也永遠是清醒的。

對於〈水之遺憾〉一詩，喜菡說「葉莎哀屈原，何嘗不是哀自己？」我不認為是，二者比重落差太大。葉莎縱有哀傷，也不可能有如屈原的哀傷，頂多有些感慨吧！就算有哀傷，也不會像屈原那樣，哀得如此深！傷的如此痛！

兩棵樹：〈憶榕樹〉和〈一株木麻黃〉

中國詩歌裡的各種植物，通常有特定意象和意義，象徵著不同的詩歌美學。如陶淵明的「雞鳴桑樹顛」或「採菊東籬下」、孟浩然「把酒話麻桑」、古詩中「青青河畔草、鬱鬱園中柳」，乃至王維的雪中芭蕉等，不僅有特定意涵，也為創造意境。

《人間》詩集有兩棵樹，這兩棵樹應該在詩人成長過程中，生命旅途中，有某種因緣，它們才會入種在詩人的詩田裡。〈憶榕樹〉和〈一株木麻黃〉，榕樹的意象通常和童年、故鄉、舊居等有關，木麻黃較不確定。先品賞〈憶榕樹〉。

我曾和月光相約，不可
走回我多清醒的夜晚

彷彿一切已成荒蕪
那在黑夜繁榮夢裡發芽
綿延一千畝的，無非想念

時常在城市遊走
以為自己是燈火，而世事
如洪波，滾動如雪
難免冰涼了心頭

月亮敲窗的夜晚
記憶如雨，一潑灑
就是夢中庭院

詩人一定都寫過童年回憶、懷念故鄉等鄉愁作品。尤其台灣，四十年間，傳統鄉村型農業社會全變樣，高度都市化的現代資訊社會。童年時代已成「失落的世界」，現在四十歲以上的人，肚子裡裝的全是鄉愁。

「彷彿一切已成荒蕪」，現在壯中年以上的人，無不感慨，那些美好的回憶都「回不去了」，所見和自己記憶的世界，已是不同的世界，看不懂也不能理解的「異世界」。是故，眼前所見也荒蕪，年少的記憶更荒蕪。

但人的思念，不會隨著世界的失落而失落，往昔那些美好的影像、感覺，仍在潛意識「記憶體」中，只待某種因緣還是能叫出。**「那在黑夜繁榮夢裡發芽／綿延一千畝的，無非想念」**，這個夜晚定有特別的事，才會讓思念綿延一千畝。這裡用了移覺技巧，把感覺實體化、真實化，讓思念強壯，表示嚴重的想念。

都市生活過久了，原先期許自己能成為一盞燈火，照亮別人，或照亮一方小世界。可惜，這個社會病得很嚴重，詩人難免涼了心頭，無限感慨啊！

「月亮敲窗的夜晚」，月亮只是照窗，不會敲窗，用了移覺和感覺的強化。這不就是舉頭望明月，低頭思故鄉嗎?記憶如雨。這個「雨」非雨，是榕樹很多鬚垂下的意象，茫茫如雨，牽引詩人回到故鄉庭院，看見這棵童年時的老榕樹。

詩題〈憶榕樹〉，詩文未直接提到榕樹，這是刻意要「保持距離」。有距離才有美感和想像空間，葉莎也善於經營這類作品，詳見「主題」與「詩文」的對與不對一文。

再賞讀〈一株木麻黃〉。

彷彿一株木麻黃
獨居在美麗的島嶼
島嶼處處皆是畫與詩
你卻獨鍾佛
佛，住在心中以及三樓

我步上三樓看風景
一屋子字畫在黃昏寂靜
你在寂靜裡生活
巨大的心靈和渺小的自我
不停對奕

對面一扇咾咕牆

疊著海的呼吸
所有的珊瑚恍如古老時光
曾經美麗又安然死去

詩人比喻自己，彷彿一株木麻黃，獨居在一個美麗的島上。所以，可能並沒有一株木麻黃，只是形容自己單獨住在一個美麗之島，過著簡單的生活。

美麗之島當然有詩有畫，但詩人更愛佛，佛時時在心中也同住三樓，這真是有趣的形容。詩人生活雖簡單，個人也只是渺小的自我，但有巨大的心靈，思接千載，心包宇宙，極大和極小同時存在詩人心中，永恆而

你在寂靜裡生活
巨大的心靈和渺小的自我
不停對奕

統一。

面對一面舊牆，每天看海，看這個世界的一切在生死中輪迴，生老病死，成住壞空，一切的一切都那麼自然的發生又結束。

搬運與活化字詞的功力

本文少談詩意、情境，略說葉莎在「搬運」方塊字的功力上，甚為得心順手，要如何搬便如何搬！在其他各文都提到詩人對詩語言運作，善於移覺、對調、相對等技巧，這或許也是搬運功力，結果是讓字詞「活」了起來！

由於詩人練就一身詩語言搬運功力，所以她說接下來詩教學的主題是「詩太極」和「詩連動」，連動靈感來自企業界平衡計分卡九大連動的思維轉化。我雖不知道所謂「詩太極」和「詩連動」詳細內涵，但我直覺和我所述字詞搬運有關。如何「搬運」？如何使文字活起來？還是舉例說明容易懂，賞讀〈牛仔〉。

黃昏開始奔跑
彩霞開道

成功一直沒有來
馬到河邊吃草

飛蚊群起鼓譟
晚風前仆，小草後繼
那時我是沉睡的牛仔
枕著草原的晚年

一陣馬蹄達達而來
將夢踢翻，滾向天涯

詩歌中任何一個字、詞（動詞、形容詞、副詞、介系詞等等），如何破除傳統用法，創造新用法，或重新定義，有了新意涵，可謂是古今詩人用功的焦點。古代詩人有「讓字詞在紙上站起來」說法，現化詩人也仍在練這種功力。

基本上，就是把一個詞類，運動移覺大法，進行「五鬼搬運」，運入不同句子，讓詩句、詩語言「活」起來，也等於使字詞從紙上站立起來。

葉莎諸多作品都在「運動」這種功力，如〈牛仔〉一詩。黃昏開始「奔跑」，彩霞「開道」，「馬到成功」拆成兩句，晚風「前仆」，小草「後繼」，將夢「踢翻」，都是拍案「絕句、絕詞」。創造幽默、理趣、新的意涵，這樣的作品，愈是專注深入，愈是被她所吸引。賞讀〈種紅毛苔的婦人〉。

白露之後，浸泡的夢都發芽了
睡眠的孢子開始想念海

岩石撞碎陽光，波濤一陣尖叫
晴朗下放兩百里
沿路都是跳舞的海潮

去年，在岩壁悄悄種下的
影子怕已更老

野風無心刻劃的細小紋路
其中一條通往眼角

我在潔淨的海域，種植紅毛苔
關於減數分裂的秘密
海鳥無法教導
生活之初也曾長滿鞭毛
一游動，以為思緒是藻

吾以為，要能隨心搬動任何字詞使其活化，前提還在「情住感物」和「物來動情」的交融，產生了「物我合一」的境界。此時，寫石頭，石頭是活生生的人；寫黃昏，黃昏是活生生的知音，詩境中的一切都是鮮活的。

生活之初也曾長滿鞭毛
一游動，以為思緒是藻

如這首〈種紅毛苔的婦人〉，夢「都發芽了」，「睡眠」的孢子開始「想念」海，岩石「撞碎」陽光，波濤一陣「尖叫」，晴朗「下放」兩百里，沿路都是「跳舞」的海潮。光是這一小段，用上了詩學裡「九大門派」的武功，這樣的詩語言造句，對讀者產生了「文功武嚇」的震撼效果，兩眼一亮，跌破了眼鏡！

《人間》詩集中，〈不亮也不夜晚〉一詩，造句和詩意都有些詭異，先賞讀其詩。

在冬日之前
繁華被誰一片一片剝下
我們思想萎靡，念頭荒塘
長成一株一株燈籠模樣

讓翠鳥一直站
讓悲傷的魚一直藏
不亮也不夜晚

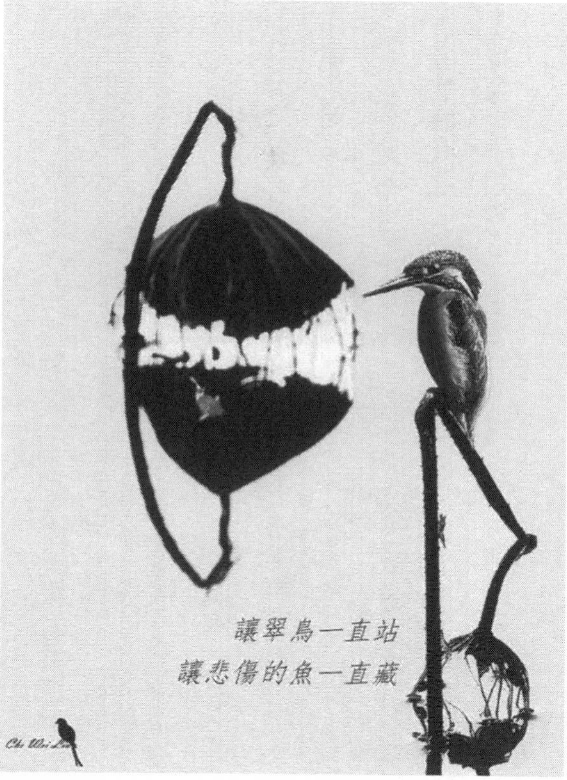

這首詩和圖照同時做為《人間》詩集的封面，對詩人如此安排，必有極特殊的用意。

何況，葉莎在詩集跋〈夢想的第一個戳記〉，講到這本詩集經過陳亮、南子、喜菡和季閒眾好友幫忙，「讓這本詩集能完全依我的夢想呈現」。所以，全書編輯、攝影照片使用、封面等，必然是葉莎理念的呈現。

〈不亮也不夜晚〉，搬運字詞的功力，讓文字「站起來」，鮮活起來，惟其意涵何在？太多的空靈意境讓人有寬廣的想像空間。

「不亮也不夜晚」是什麼情境？「不亮」就是夜晚，黑夜當然不亮；卻「也不夜晚」，這是矛盾，「矛」與「盾」能共存，必是統一了。在渾渾爾！噩噩爾情境中統一了，過著不知是白天或夜晚的日子，苦啊！這種日子我過了二十六年，這二十六年我處於「不亮也不夜晚」的矛盾狀態中，我知道詩人在寫什麼？

「繁華被誰一片一片剝下／我們思想萎靡，念頭蕊塘」，不知道自己長成什麼模樣？像一條悲傷的魚，一直藏著，不能按自己愛好露臉，怕一露臉就被鳥吃了。

啊！那些「不亮也不夜晚」的日子，都是過去式了，現在我們過著簡單的生活，自在來，自在去，自在捕捉詩的意象，自在建構詩國美景。

陳福成著作全編總目

壹、兩岸關係

①決戰閏八月
②防衛大台灣
③解開兩岸十大弔詭
④大陸政策與兩岸關係

貳、國家安全

⑤國家安全與情治機關的弔詭
⑥國家安全與戰略關係
⑦國家安全論壇。

參、中國學四部曲

⑧中國歷代戰爭新詮
⑨中國近代黨派發展研究新詮
⑩中國政治思想新詮
⑪中國四大兵法家新詮：孫子、吳起、孫臏、孔明

肆、歷史、人類、文化、宗教、會黨

⑫神劍與屠刀
⑬中國神譜
⑭天帝教的中華文化意涵
⑮奴婢妾匪到革命家之路：復興廣播電台謝雪紅訪講錄
⑯洪門、青幫與哥老會研究

伍、詩〈現代詩、傳統詩〉、文學

⑰幻夢花開一江山
⑱赤縣行腳・神州心旅
⑲「外公」與「外婆」的詩
⑳尋找一座山
㉑春秋記實
㉒性情世界
㉓春秋詩選
㉔八方風雲性情世界
㉕古晟的誕生
㉖把腳印典藏在雲端
㉗從魯迅文學醫人魂救國魂說起
㉘六十後詩雜記詩集

陸、現代詩（詩人、詩社）研究

㉙三月詩會研究
㉚我們的春秋大業：三月詩會二十年別集
㉛中國當代平民詩人王學忠
㉜讀詩稗記
㉝嚴謹與浪漫之間
㉞一信詩學研究：解剖一隻九頭詩鵲
㉟囚徒
㊱胡爾泰現代詩臆說
㊲王學忠籲天詩錄

柒、春秋典型人物研究、遊記

㊳山西芮城劉焦智「鳳梅人」報研究
㊴在「鳳梅人」小橋上

㊵我所知道的孫大公
㊶為中華民族的生存發展進百書疏
㊷金秋六人行
㊸漸凍勇士陳宏

捌、小說、翻譯小說

㊹迷情・奇謀・輪迴、
㊺愛倫坡恐怖推理小說

玖、散文、論文、雜記、詩遊記、人生小品

㊻一個軍校生的台大閒情
㊼古道・秋風・瘦筆
㊽頓悟學習
㊾春秋正義
㊿公主與王子的夢幻、
(51)洄游的鮭魚
(52)男人和女人的情話真話
(53)台灣邊陲之美
(54)最自在的彩霞
(55)梁又平事件後

拾、回憶錄體

(56)五十不惑
(57)我的革命檔案
(58)台大教官興衰錄
(59)迷航記、
(60)最後一代書寫的身影
(61)我這輩子幹了什麼好事
(62)那些年我們是這樣寫情書的
(63)那些年我們是這樣談戀愛的
(64)台灣大學退休人員聯誼會第九屆理事長記實

拾壹、兵學、戰爭

(65)孫子實戰經驗研究
(66)第四波戰爭開山鼻祖賓拉登

拾貳、政治研究

(67)政治學方法論概說
(68)西洋政治思想史概述
(69)中國全民民主統一會北京行
(70)尋找理想國：中國式民主政治研究要綱

拾參、中國命運、喚醒國魂

(71)大浩劫後：日本 311 天譴說
日本問題的終極處理

拾肆、地方誌、地區研究

(72)台大逸仙學會
(73)台北公館台大地區考古・導覽
(74)台中開發史
(75)台北的前世今生
(76)台北公館地區開發史

拾伍、其他

(77)英文單字研究
(78)與君賞玩天地寬（文友評論）
(79)非常傳銷學
(80)新領導與管理實務

拾陸：2015 年 9 月後新著

編號	書　　　名	出版社	出版時間	定價	字數（萬）	內容性質
81	一隻菜鳥的學佛初認識	文史哲	2015.09	460	12	學佛心得
82	海青青的天空	文史哲	2015.09	250	6	現代詩評
83	為播詩種與莊雲惠詩作初探	文史哲	2015.11	280	7	童詩、現代詩評
84	世界洪門歷史文化協會論壇	文史哲	2015.12	280	6	洪門研究
85	三黨搞統一 —— 解剖共產黨、國民黨、民進黨怎樣搞統一	文史哲	2016.03	420	11	政治評論
86	緣來艱辛非尋常 —— 賞讀范揚松仿古體詩稿	文史哲	2016.05	400	9	古體詩析評
87	大兵法家范蠡研究 —— 商聖財神陶朱公傳奇	文史哲	2016.06	280	8	歷史人物研究
88	典藏斷滅的文明：最後一代書寫身影的告別紀念	文史哲	2016.08	450	10	各種手稿
89	葉莎現代詩研究欣賞	文史哲	2016.08		6	現代詩評
90						
91						
92						
93						
94						
95						
96						
97						
98						
99						
100						

國防通識課程及其它著編作品

（各級學校教科書）

編號	書　　　　　名	出版社	教育部審定
1	國家安全概論（大學院校用）	幼　獅	民國 86 年
2	國家安全概述（高中職、專科用）	幼　獅	民國 86 年
3	國家安全概論（台灣大學專用書）	台　大	（臺大不送審）
4	軍事研究（大專院校用）	全　華	民國 95 年
5	國防通識（第一冊、高中學生用）	龍　騰	民國 94 年課程要綱
6	國防通識（第二冊、高中學生用）	龍　騰	同
7	國防通識（第三冊、高中學生用）	龍　騰	同
8	國防通識（第四冊、高中學生用）	龍　騰	同
9	國防通識（第一冊、教師專用）	龍　騰	同
10	國防通識（第二冊、教師專用）	龍　騰	同
11	國防通識（第三冊、教師專用）	龍　騰	同
12	國防通識（第四冊、教師專用）	龍　騰	同
13	臺灣大學退休人員聯誼會會務通訊	文史哲	
14	把腳印典藏在雲端：三月詩會詩人手稿詩	文史哲	
15	留住末代書寫的身影：三月詩會詩人往來書簡殘存集	文史哲	
16	三世因緣：書畫芳香幾世情	文史哲	

注：以上除編號 4，餘均非賣品，編號 4 至 12 均合著。

編號 13 定價一千元。